D1178142

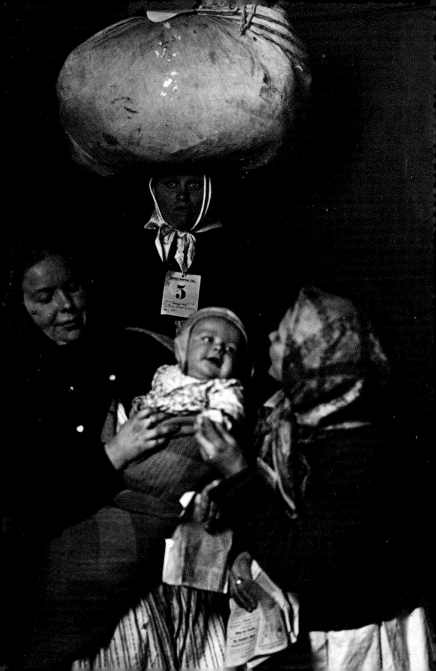

Nancy L. Green,
née à Chicago,
diplômée de l'Université
du Wisconsin, a fait son
doctorat à l'Université
de Chicago. Elle est
maître de conférences
à l'Ecole des Hautes
Etudes en Sciences
Sociales (Centre de
Recherches Historiques)
à Paris. Spécialisée dans
l'étude des migrations
comparées en France et
aux Etats-Unis, elle a
publié *Les Travailleurs
immigrés juifs à la
Belle Epoque* (Editions
Fayard) et termine *La
Mode en production :
confection et
immigration, Paris-
New York*, qui paraîtra
aux éditions du Seuil.

*Pour tous les Bregstones,
Lascoes, Seeders et Zukovskys
qui ont fait le voyage*

*Texte traduit de l'anglais par
Cécile Dutheil de la Rochère*

*Dépôt légal : mai 1994
Numéro d'édition : 53518
ISBN : 2-07-053177-5
Imprimerie Kapp Lahure
Jombart, à Evreux*

ET ILS PEUPLÈRENT L'AMÉRIQUE
L'ODYSSÉE DES ÉMIGRANTS

Nancy Green

DÉCOUVERTES GALLIMARD
HISTOIRE

« Le mouvement immigrant a pris sa source au cœur de l'Europe paysanne. Pesamment établie en un solide équilibre depuis des siècles, la structure de cette vieille société commença à s'effriter au début de l'époque moderne. Un à un, des chocs vinrent en ébranler les fondations jusqu'à l'explosion finale. Ce violent effondrement laissa sans abri des millions de gens perdus, sans repères. C'était l'armée des émigrants. »

Oscar Handlin,
The Uprooted, 1951

CHAPITRE PREMIER
L'ANCIEN MONDE

"N'oublie pas ta pauvre vieille maman / Quand tu seras loin, de l'autre côté de l'océan. / Ecris de temps à autre / Et envoie tout ce que tu peux. / Mais surtout, où que tu sois, / N'oublie jamais que tu es irlandais.**"**
Romance irlandaise du XIXᵉ siècle

De vagues en courants, l'histoire du peuplement des Etats-Unis

C'est d'abord l'image du navire qui fonde la mythologie du Nouveau Monde : la *Niña*, la *Pinta* et la *Santa María* de Christophe Colomb appartiennent à l'histoire de la genèse de l'Amérique. Le *Mayflower*, à bord duquel les Pèlerins arrivèrent en 1620, est devenu le symbole de la «véritable» identité américaine. Descendre d'ancêtres débarqués de ce vénérable vaisseau est le gage de racines les plus profondes qui soient.

Ces vagues successives d'immigration emporteront, non sans conflits, les autochtones américains. Les habitants originels de la terre américaine enseignent aux Pèlerins tout ce qu'il faut savoir pour survivre, mais ils finiront par être soumis et conquis, comme ailleurs en Amérique, par deux fléaux redoutables : l'arme à feu et la maladie. Quand les Puritains arrivent, les Indiens (bien mal nommés) sont sans doute au nombre de 500 000 à l'est de l'Amérique du

Puritains ou Pèlerins, le motif du voyage et le débarquement sont placés sous le signe de Dieu.

Nord; un siècle plus tard, ils ne forment plus qu'une minorité, alors que les premiers colons sont déjà au nombre de un demi-million. En 1622, les Européens instaurent une politique de destruction systématique qui provoque une spirale de guerres et d'atrocités des deux côtés. Les Indiens d'Amérique continueront à résister aux envahisseurs européens au cours des trois siècles suivants et les nouveaux venus ne seront entièrement maîtres de la Frontière qu'à la fin du XIXᵉ siècle.

Aux origines d'une «aristocratie» américaine, les colons des XVIIᵉ et XVIIIᵉ siècles

Quatre courants migratoires originaux se distinguent. Les Puritains, qui fuient l'Angleterre dans les années 1630 et 1640 et vont peupler la Nouvelle-Angleterre, forment un groupe assez homogène. Plus au sud,

Les colons venus d'Europe s'installent sur les terres indiennes grâce à des traités de paix ou à des accords commerciaux, aux formes juridiques souvent douteuses, et par la guerre. Ci-dessous, William Penn (quaker et fondateur de la Pennsylvanie) signe un traité de paix avec les autochtones. Or comme Chateaubriand le dira un siècle plus tard : «Les gouvernements protestants de l'Amérique se sont peu préoccupés de la civilisation des sauvages; ils n'ont songé qu'à trafiquer avec eux.» Des chefs indiens organiseront la résistance, comme Metacomet, avec le soulèvement de 1676, et Tecumseh, avec celui de 1811. En haut, le *Mayflower*.

entre les fleuves Hudson et Delaware, les Hollandais réformés, les quakers allemands (en 1675) et les huguenots français (de 1680 à 1690) viennent renforcer, tout en la contestant souvent, la présence anglaise. Les colonies Chesapeake de Virginie et du Maryland deviennent les fiefs d'une nouvelle oligarchie fondée sur la culture du tabac. Enfin, 25 000 Européens s'installent aux XVIIe et XVIIIe siècles dans le vaste espace ouvert que constituent les Carolines du Nord et du Sud.

L'aventure outre-Atlantique prend plusieurs formes. On y rencontre des ménages, des hommes

••C'est la juxtaposition d'un mélange de brutalité et d'une civilisation en herbe qui caractérise l'émergence de l'Amérique britannique.**••**
Bernard Bailyn,
The Peopling of British North America, 1986

La Soute

La Soute

seuls, des forçats, des miséreux. Les premiers Puritains et les quakers arrivent souvent sur les côtes du Nord en famille, alors que les célibataires se dirigent plutôt vers le Sud, où la terre est plus ingrate et où l'on cultive le tabac. Quand ils embarquent, beaucoup d'émigrants sont libres et prêts à prendre des risques. D'autres se sont engagés par contrat à travailler quatre ou cinq ans pour un employeur qui a financé leur traversée.

Le recours à l'esclavage

Mais cette main-d'œuvre contractuelle ne suffit pas à assurer le développement économique des colonies, particulièrement dans le Sud agricole où la culture est intensive. Il y a bien une tentative d'esclavage indien et il existe bien sûr quelques domestiques blancs d'origine européenne, mais la plus grande partie du travail forcé va être assurée par la main-d'œuvre amenée d'Afrique.

À part dans les villages établis autour d'une communauté religieuse, comme celle des quakers (à gauche, une femme quaker), la population de la jeune Amérique est fortement multiethnique. Ceci est surtout frappant dans le Sud. Dans les Carolines, les 60 000 Indiens d'Amérique et les 40 000 esclaves africains présents au début du XVIIIe siècle sont quatre fois plus nombreux que les Européens.

La traversée forcée des Africains sur les navires négriers, allongés dans des cales-cercueils hautes d'à peine 45 centimètres (ci-dessus), n'est en rien similaire aux récits héroïques de l'imaginaire «mayflowerien». Un esclave sur trois n'aurait pas survécu au voyage vers les Amériques.

Jusque dans les années 1840, les bateaux qui traversent l'Atlantique vers l'Ouest transportent plus souvent des Africains que des Européens. Au milieu du XVIIIe siècle, près de un cinquième de la population de New York est africaine et elle l'est à 60 % en Caroline du Sud en 1770. Pour bien des immigrants blancs de la période coloniale, riches ou pauvres, liberté et réussite dépendent donc étroitement de l'extension de l'esclavage.

Le caractère dominant de la culture et du pouvoir coloniaux anglais

New Amsterdam devient New York en 1664, même s'il faut attendre un siècle pour que le synode réformé hollandais adopte l'anglais comme langue officielle. Les colons allemands, français, écossais et écossais-irlandais qui arrivent au XVIIIe siècle doivent désormais se conformer aux normes anglaises protestantes.

Dès la fin du XVIIIe siècle, on peut dégager les caractéristiques fondamentales de la population de la jeune Amérique. Quatre millions de nouveaux venus ont pris la place des Indiens d'Amérique, et, suivant le premier recensement fédéral de 1790, 80 % de la

population des Etats-Unis est blanche, 20 % noire. Même si de 80 à 100 000 colons déçus repartent en Angleterre ou ailleurs après la Révolution américaine et l'accès à l'indépendance des Etats-Unis, les immigrants de souche anglaise forment 60 % de la population blanche et la moitié de la population totale. Les Irlandais, Allemands, Ecossais, Hollandais et Français représentent alors respectivement 7,8 %, 7 %, 6,6 %, 2,6 % et 1,4 % de la population totale.

Tandis que la «bucolique» New Amsterdam (en bas) se transforme en un centre commercial animé (ci-dessus, le port de New York), le système des plantations du tabac et du coton s'érige dans le Sud. L'esclavage, qui en est la base, est représenté ici (page de gauche) comme paisible, mais de tels tableaux cachent mal les misères et les révoltes, dont les plus connues éclateront en 1663, 1687, 1712, 1720, 1739 et 1741.

Les migrations de masse
au XIXᵉ siècle

Les grands mouvements
migratoires du XIXᵉ siècle vont
remettre en question cette
première définition de
l'ascendance européenne.
L'immigration qui commence
à la fin des années 1840 et se
poursuit jusque vers 1920
définira l'Amérique telle
qu'elle va être jusqu'à
ces dernières années. Au cours du
siècle dernier, sur les 43 millions
de personnes qui franchissent les
frontières, plus de 15 millions
choisissent les Etats-
Unis entre 1820 (date des
premières statistiques) et
1890; 18,2 millions
suivent ces traces entre
1890 et 1920. L'apogée

C ette carte
«figurative et
approximative»,
qui représente les
déplacements des
émigrants sur le globe
pour l'année 1858,
date de 1862. Elle
montre que l'image
des mouvements
migratoires se confond
avec la traversée de
l'Océan. Ci-dessous,
départ d'émigrants
dans le port de
Hambourg vers 1876.

de ce mouvement se situe au cours de la décennie 1901-1910, 1907 étant l'année record.

L'émigration, soupape de sûreté d'une explosion démographique européenne sans précédent

Entre 1750 et 1845, la population européenne passe de 140 à 250 millions, et cela grâce à la baisse du taux de mortalité, à la hausse de l'espérance de vie ainsi qu'à une meilleure hygiène et à une meilleure alimentation, qui contribuent à réduire la mortalité infantile. L'émigration permet alors à la vapeur de s'échapper hors de l'énorme machine qu'est le continent européen. Dès le début pourtant, voyant cette «soudaine envie frivole d'émigrer» et la saignée qu'elle provoque en Europe, plusieurs pays s'en inquiètent; prêtres, rabbins et propriétaires terriens se mettent à dénoncer l'émigration qu'ils considèrent comme une plaie menaçant la stabilité du corps social. En fait, les départs font en général diminuer les pressions économiques et sociales.

Car face à la croissance démographique, la question des successions paysannes en Europe se pose de deux façons : soit les parcelles diminuent et permettent à peine la survie; soit l'ordre de primogéniture est renforcé pour limiter cette parcellisation. Les stratégies et les traditions familiales varient suivant les régions mais, dans un cas comme dans l'autre, le départ à l'étranger apparaît comme une solution pour ceux qui ne mangent plus à leur faim ou n'héritent de rien.

La baisse du taux de mortalité en Europe, qui va alimenter la forte croissance démographique et se traduire par une augmentation des départs, est due en

partie aux nouvelles découvertes médicales, comme celle du vaccin antivariolique (ci-dessus). Cette méthode préventive choque les esprits, ainsi qu'ironise Voltaire : «On dit doucement dans l'Europe chrétienne que les Anglais sont des fous et des enragés, des fous, parce qu'ils donnent la petite vérole à leurs enfants pour les empêcher de l'avoir, des enragés parce qu'ils communiquent de gaieté de cœur à ces enfants une maladie certaine et affreuse dans la vue de prévenir un mal incertain.»

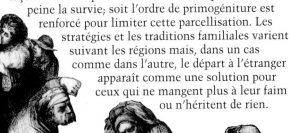

Transformation de l'agriculture, maladie de la pomme de terre et autres famines

Alors que la commercialisation et la rationalisation de l'agriculture européenne progressent au cours du XIXe siècle, le rythme du développement industriel et urbain ne suffit pas à absorber tous les laissés-pour-compte de cette modernisation agricole. La misère, l'augmentation du montant des fermages et des conditions de vie trop dures poussent ainsi des millions d'Irlandais, d'Allemands, de Scandinaves, de Polonais et d'Italiens à franchir les mers, dans l'espoir de mettre en valeur des terres outre-Atlantique ou d'économiser afin de s'en acheter chez eux au retour. De nombreux artisans, également menacés par l'industrialisation et la mécanisation de la production, suivent alors les traces de leur clientèle paysanne vers le Nouveau Monde.

Les problèmes sont donc à bien des égards structurels, mais pour beaucoup les crises annuelles

Expropriation pour non-paiement du loyer (ci-dessus), mauvaises récoltes, redevances de toutes sortes, volonté d'échapper au despotisme paternel… la misère encourage les départs tout comme elle contribue à changer les habitudes matrimoniales. Ainsi, Irlandais et Irlandaises se marient plus tard dans l'Ancien comme dans le Nouveau Monde. De nombreuses femmes irlandaises traverseront l'Atlantique seules, à la recherche d'un remède à la pauvreté.

et des récoltes désastreuses seront les événements déterminants. La grande famine irlandaise du milieu du XIXᵉ siècle est le cas le plus connu. En Irlande, l'extension de la culture de la pomme de terre, facile à cultiver, plus nourrissante et plus rentable, avait permis une croissance démographique importante. Mais la pomme de terre, qui pousse n'importe où, avec un minimum d'outils, un peu d'imagination et du travail, incite à diviser la terre. La monoculture qui en résulte rend les paysans plus dépendants encore de cette tubercule amidonnée. Lorsque le champignon *Phytophtoro infestans* commence à se répandre en 1845 – comme c'était déjà arrivé une vingtaine de fois au cours du siècle précédent –, personne ne peut penser que ce fléau durera quatre ans et dévastera les récoltes. 850 000 Irlandais avaient déjà quitté leur pays au cours des trente années qui précédèrent la grande famine; 1 250 000 hommes et femmes embarqueront à destination de l'Amérique au cours des huit années suivantes.

"Hélas, la pomme de terre était aussi fragile qu'utile."

Thomas Archdeacon, *Becoming American*, 1983

"Si j'étais une couverture pour la couvrir, je me marierais avec la femme que j'aime; si j'avais assez de pommes de terres pour les bouches de mes enfants, je serais aussi heureux et content que n'importe quel homme."

Un Irlandais en 1835

Révolution et répression

Troisième cause d'émigration au XIXᵉ siècle, les révolutions et les soulèvements politiques qui ponctuent tout le siècle en Europe. Même si le nombre d'émigrés politiques au sens propre ne fut jamais vraiment important, ce type d'émigré incarne un aspect essentiel du mythe de l'aventure américaine : fuir l'oppression qui sévit en Europe

pour gagner la terre du courage et de la liberté.

Même les Français, pourtant si peu enclins à quitter leur pays, voient partir aux Etats-Unis plusieurs illustres nobles ou révolutionnaires déçus à la fin du XVIIIᵉ siècle. Plus tard, au milieu du siècle suivant, ce sont des cabetistes, des fouriéristes et autres utopistes qui, forts de leurs convictions, s'en vont fonder une société nouvelle dans le Nouveau Monde.

En fait, la majorité des réfugiés politiques partagent le sort des émigrants «économiques» des mêmes pays. Ainsi, les Allemands qui quittent leur pays après la révolution avortée de 1848 ne sont pas tous des militants politiques, mais c'est à cette époque que la population allemande aux Etats-Unis double. De même, les Polonais qui fuient après l'échec du soulèvement contre la Russie en 1863 forment l'avant-garde de l'émigration plus massive qui aura lieu dix ans plus tard, quand Bismarck entreprendra d'éliminer la culture polonaise dans la partie prussienne de la Pologne.

Dans la partie russe de la Pologne, la russification entreprise par les tsars Alexandre III et Nicolas II aura un effet semblable sur la population locale polonaise. Enfin, l'échec de la révolution russe de 1905 forcera bien des Polonais, des Juifs et tous ceux qui viendront rejoindre les mouvements révolutionnaires à s'enfuir, entraînant la plupart du temps dans leur sillage le reste de leur famille.

Les persécutions religieuses

Les persécutions religieuses, qui furent l'une des causes originales du départ des premiers Pèlerins, demeurent une cause d'émigration importante au cours du XIXᵉ. Plus de deux siècles après les départs des Puritains anglais, des quakers allemands et des huguenots français, les dissidents religieux norvégiens et suédois, entre autres, suivront leurs traces.

Les Juifs russes sont les émigrants «religieux» les plus nombreux du XIXᵉ siècle. Ils commencent à fuir dans les années 1870, en voyant que les promesses de réformes d'Alexandre II, tsar «libéral», restent lettre morte. Les conditions économiques et sociales dans la Zone de résidence où les Juifs sont confinés ne cessent en effet de se dégrader. Après l'assassinat d'Alexandre II en 1881, les pogroms dits «secs» (c'est-à-dire la mise en place d'une législation antisémite) et les pogroms sanglants se multiplient, fruit d'un antisémitisme populaire et gouvernemental. Quelque 3 millions de Juifs abandonnent leur pays natal entre 1881 et 1914; la majorité part aux Etats-Unis, d'autres en Amérique du Sud ou en Europe.

Après la révolution de 1848, Kossuth, devenu gouverneur de la Hongrie, doit démissionner et s'exiler (page de gauche). Il part d'abord pour les Etats-Unis. Il n'y restera pas, mais beaucoup d'autres

réfugiés politiques s'y installeront après 1848. Ci-dessus, barricades à Berlin en 1848.

Les pogroms s'étendent partout en Russie du Sud et en Ukraine à la fin de 1881 (au centre) et en 1882. La violence se répète en 1890-1893 et en 1903. Après la révolution de 1905, la vengeance impériale se déchaîne à nouveau sur les Juifs. Autant que les persécutions et les interdits, les bouleversements et les contraintes économiques générales incitent les Juifs – «serrés comme des harengs» dans la Zone de résidence – à l'émigration.

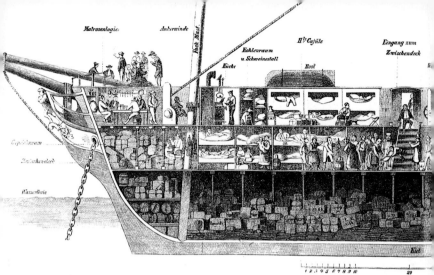

Matrosenlogis. Ankerwinde. Fock Mast. Kohlenraum u. Schweinestall. II.te Cajüte. Eingang zum Zwischendeck. Küche. Boot. Capitänraum. Zwischendeck. Wasserlinie. Kiel. Ein Aus...

Le paquebot

Facteur technologique déterminant, le paquebot accélère considérablement le rythme des départs outre-Atlantique. Au début du XIXe siècle, la traversée dure trente-cinq jours; en 1900, elle n'est plus que de quinze jours au maximum. En outre, l'extension du système ferroviaire européen crée une autre source d'alimentation de l'immense vague transatlantique qui marquera tout le XIXe siècle.

Après l'interdiction du commerce des esclaves (mais non de l'esclavage) le 1er janvier 1808, les compagnies de navigation assurant la traversée vers l'Ouest cherchent à remplir leurs navires. En Allemagne, Bremerhaven, le nouveau grand port ouvert en 1830, rivalise avec Hambourg à partir du moment où ses navires se mettent à transporter des

A.D.Wolinski

12 Hühnerposten 12

HAMBURG

Preis: Logis mit Beköstigung.

1. Classe 20 Sgr. 2.Classe 15 Sgr.

3. Classe 12 Sgr.

A Hambourg et ailleurs, les agents des offices d'émigration proposent une prise en charge complète – logement, nourriture, articles de voyage (ci-dessus). Pour être repérés à la gare, des émigrés portent leur carte publicitaire au chapeau.

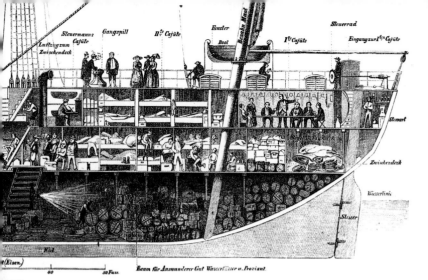

diff.

émigrants vers l'Ouest et du tabac vers l'Est. Jusqu'au milieu du siècle, les émigrants voyageaient dans des cargos aménagés uniquement pour convoyer des marchandises. Dans les années 1850, au moment où l'émigration devient vraiment régulière, on commence à concevoir des navires destinés à transporter des passagers. A la fin des années 1860 enfin, les voiliers disparaissent et le paquebot, plus vaste, plus rapide et meilleur marché, leur succède.

Quand les voiliers transportant hommes et marchandises cèdent le pas aux paquebots, le nombre de voyageurs augmente de manière importante (ci-dessus, coupe longitudinale d'un bateau de 150 pieds, avec au centre l'entrepont des émigrés). Les paquebots des années 1860 et 1870 atteignent déjà 400 à 500 pieds. Au tournant du siècle, l'*Oceanic* de la compagnie White Star, d'une taille de 686 pieds, peut transporter 1 710 émigrants (dont 1 000 en troisième classe). Le *Pennsylvania*, de la compagnie Hamburg-America, propose 2 542 places, dont 2 200 en troisième classe. Ci-contre, des émigrants allemands à Bremerhaven en 1869.

Rester ou partir

Mais toutes ces raisons d'ordre
général ne doivent pas faire
oublier que ce sont des individus
qui prennent leur décision. Car
la plupart des Européens restent
là où ils sont, et parmi ceux
qui partent, il n'y a pas que
les «masses blotties» évoquées
par Emma Lazarus. Il faut au
contraire un minimum d'argent
et de relations (famille plus ou
moins proche, voisins) pour
répondre à l'appel de la sirène.
La «fièvre américaine» n'est pas
une décision prise à la dernière
minute et en désespoir de cause,
mais en général une réponse
réfléchie à des conditions de vie
difficiles. En outre, l'émigration
est souvent la seconde étape d'un

Planck 1938

long processus qui mène dans un premier temps de la campagne à la ville voisine avant de mener outre-Atlantique.

Enfin, tous ceux qui tournent le dos à l'Europe ne choisissent pas les Etats-Unis; le Canada, l'Amérique du Sud et l'Australie offrent aussi de grands espaces vides et des régimes moins répressifs. Entre 1901 et 1910, apogée de la courbe migratoire, les populations de l'Argentine, du Canada et de l'Australie-Nouvelle-Zélande sont formées respectivement de 37 %, 34 % et 20 % d'immigrés. La population étrangère des Etats-Unis est de 10,8 % à la même période, mais elle reste exceptionnelle en ce qui concerne la variété des groupes nationaux qui abordent ses rivages.

Départ d'une famille de la campagne (à gauche). Des émigrés allemands embarquant vers l'Amérique au début du siècle (au centre).

« **P**ersonne ne pensait que le mal de mer nous saisirait si vite. Tout le monde dormit profondément toute la nuit, sans faire aucune différence entre terre et mer. Vers cinq heures, je me réveillai, et je sentis et entendis la mer. Bord sur bord, ça roulait, ça roulait… D'énormes vagues s'écrasaient contre la coque avec un bruit de tonnerre, déferlant sur le pont et pénétrant dans les cabines. »

Mary Antin,
From Plotzk to Boston, 1894

CHAPITRE II
IMAGES DU
NOUVEAU MONDE

" La veille de notre arrivée dans le port de New York, Molek me dit en anglais : « Tu te débrouilleras en Amérique, même si c'est une jungle. » Et il ajouta en slovène : « Tu y vas pour l'émotion et l'aventure ; n'aies crainte ; tu ne seras pas déçu ; tu en trouveras bien assez des deux. » **"**
Louis Adamic, 1932

La traversée

En 1894, à l'époque où Mary Antin traverse l'Atlantique, plusieurs lois ont permis de limiter les abus les plus criants du trafic de passagers à fond de cale. Ainsi la jeune émigrante juive décrit-elle dans ses mémoires les distributions quotidiennes d'eau et les visites médicales à bord. Mais ni la gentillesse des capitaines de bord, ni la législation gouvernementale ne peuvent empêcher le déferlement des vagues par-dessus bord, le mal de mer mêlé à l'angoisse ou la peur de l'inconnu.

Matelas et samovars font également partie de la traversée. En général, les hommes s'en vont dans un premier temps; les femmes les rejoignent plus tard, trimbalant avec elles tous les objets domestiques qui

❝Il y avait 200 passagers sur notre voilier. [...] Beaucoup d'entre eux dormaient sur le pont par peur d'attraper le choléra. Nous avons eu entre 80 et 100 morts. [...] Un conseil : ne venez pas ici avant de pouvoir prendre le paquebot en deuxième classe.❞

Lettre d'un émigrant anglais en 1853 (Ci-dessous, la vie dans les troisièmes classes, en 1882. Page de droite, l'entrepont des émigrants, sur un paquebot au début du siècle.)

signifient la réinstallation familiale. Quelques femmes partent également seules. Tous s'en vont le cœur partagé entre l'espoir et la crainte, la tête pleine d'une myriade de ces visions qui nourrissent l'imaginaire de l'émigrant.

Terre promise ou eldorado : le pôle d'attraction de l'Amérique

Car l'émigration n'est pas seulement une fuite; elle est aussi un nouveau départ. Ce gigantesque mouvement vers les Etats-Unis a lieu parce que, sur place, les conditions se prêtent à une croissance démographique : il faut construire des chemins de fer, creuser des canaux, mettre en valeur les terres et fournir les usines en main-d'œuvre. En 1926, l'économiste Harry Jerome mettra au point la théorie de l'«émigration pôle d'attraction», selon laquelle les cycles économiques américains, plus que les conditions européennes, rendent compte du rythme et des moments forts des vagues d'immigration. Cette théorie, élaborée dans une large mesure pour défendre les nouveaux immigrants contre leurs détracteurs, s'applique aux hommes plus qu'aux femmes et aux travailleurs non qualifiés plus qu'aux travailleurs qualifiés, mais elle a le mérite de mettre en lumière le second versant de la dynamique

En 1882, une loi réglemente les conditions de vie à bord. Une amende de 10 dollars par mort est prévue.

Liſte des Proviants,

wie ſolche gewöhnlich den Zwiſchendecks- und Steerage-Paſſagieren, von

Bremen
nach

Newyork, Baltimore, Philadelphia oder New-Orleans und Galveston

gehend, verabreicht wird, wobei es indeſſen dem Capitain des Schiffes überlaſſen bleibt eine etwaige Abänderung zu treffen.

Sonntag: Fleiſch oder Speck mit Pudding mit Kartoffeln.
Montag: Fleiſch oder Speck und Bohnen oder Erbſen mit Kartoffeln.
Dienſtag: Fleiſch oder Speck mit Bohnen oder Erbſen mit Kartoffeln.
Mittwoch: Speck und Sauerkraut mit Kartoffeln.
Donnerſtag: Fleiſch oder Speck und Erbſen oder Bohnen mit Kartoffeln.
Freitag: Fleiſch mit Reisſuppe oder Hefenpfützgen mit Kartoffeln.
Sonnabend: Reis oder Schiffsgerſte mit Pflaumen und Syrup.

Portion
per Woche für jeden Paſſagier an Bord:

3 Pfund Schiffsbrod.
4 " Weißbrod.
½ " Butter.
5½ " Fleiſch.
1 " geſalzenen oder ½ Pfund geräucherten Speck.
Jeden Morgen Caffee und jeden Nachmittag Thee oder Caffee. Gemüſe und Trinkwaſſer hinreichend.

Portions par semaine et par passager de l'entrepont, à bord d'un navire allemand en 1846 : 3 livres de pain noir; 2 livres de pain blanc, 3/8 de livre de beurre; 2 livres et demi de viande; 1 livre de lard salé; eau et légumes en quantité suffisante.

migratoire : les débouchés du Nouveau Monde et l'espoir de réussite.

Beaucoup de futurs émigrants n'ont que vaguement entendu parler d'un «pays d'or» ou d'une «montagne d'or», comme on appelait l'Eldorado en yiddish ou en chinois. L'entreprise de Christophe Colomb serait-elle à l'origine de cette image? Peu importe la réponse, le mythe devient réalité au XIXe siècle, à l'époque de la ruée vers l'or en Californie, qui attire les Américains de la côte Est autant que les immigrants d'Europe et d'Asie.

Cependant, l'image qui, à elle seule, résume la ruée vers l'Amérique – aux «rues pavées d'or» – participe d'une vision plutôt urbaine. En se télescopant avec les légendes bibliques de Terre promise ou de pays de cocagne utopique, ce cliché fonctionne à la fois comme mythe et symbole puissant et transforme le voyage transatlantique non seulement en quête de liberté mais aussi en quête de pain – *za chlebem*, comme le disent les Polonais.

Campagnes et propagandes officielles

Les sources d'informations sont multiples. Les nouveaux Etats, les compagnies ferroviaires et routières comme les lignes de paquebots émettent tous un seul et même message : on a besoin de colons et de passagers.

La loi fédérale de 1862, le *Homestead Act*, permet d'acquérir gratuitement 160 *acres* (80 hectares) de terre à quiconque l'exploiterait pendant cinq ans. Dans les années 1860 et 1870, une véritable rivalité

LA FORTUNE,
COMPAGNIE DES MINES D'OR

s'instaure entre les Etats les moins peuplés, qui cherchent à attirer les immigrés et organisent de remarquables campagnes de publicité. Les propriétaires de lignes ferroviaires participent en 1869 à la création d'une association, le *California*

"Go West, young man."
John Soule, 1851

Immigrant Union, qui envoie des agents recruteurs à l'étranger et dans les Etats de l'Est. En 1879, la Géorgie fait circuler une brochure vantant les vertus

DE LA CALIFORNIE.

du climat de l'Etat; le Minnesota affirme que son taux de mortalité est inférieur à celui de son voisin et rival, le Wisconsin; le Bureau d'immigration du Colorado émet une plaquette certifiant que son territoire est la «Suisse de l'Amérique» et

"Oh! c'est un très riche pays! On dit que beaucoup d'Américains et d'Européens [...] y trouvent de l'or très facilement. [...] J'irai en Californie l'été prochain."

Un jeune Cantonais
en 1848

2ᵉ ET 3ᵉ DÉPARTS pour les MINES

de 100 travailleurs chacun
l'autre du Havre, sur le navi
affrété par la Compagnie la C

«La Mecque de toutes les classes et de toutes les conditions»; ou encore les journaux de l'Iowa et du Minnesota découragent les émigrants potentiels d'aller s'installer dans le Dakota récemment colonisé en diffusant des récits terrifiants d'invasions de sauterelles, de tempêtes de neige et d'Indiens sauvages.

Dès les années 1890, les terres les plus rentables sont colonisées et les bases du réseau de chemin de fer sont jetées. Dans l'imaginaire des émigrants, l'usine remplace peu à peu la ferme. La publicité des Etats cesse au moment où l'immigration devient urbaine. Les compagnies

1,200,000 ACRES OF
RICH AND VALUABLE
FARMING & WOOD LANDS
FOR SALE BY THE
ILLINOIS CENTRAL R. R. CO.,

«Ces terres sont parmi les plus riches et les plus attirantes de l'Etat de l'Illinois. [...] Aucune région au monde ne présente une telle fertilité uniforme du sol ni ne permet des mises en cultures à moindre frais.»
Affiche publicitaire, 1859

'OR de la CALIFORNIE

vont avoir lieu, l'un d'Anvers,—et *Grétry*, du port de **600** tonneaux, *rnienne*, rue de Trévise, **44**, Paris.

Les agents recruteurs du XIXe siècle envoient pamphlets et placards publicitaires en Europe. Ci-contre, dans un journal breton, on recrute des actionnaires et des travailleurs pour les mines d'or de Californie. Ci-dessous, une publicité dans un journal suédois; en bas, un petit guide d'une compagnie de chemin de fer en 1859. A gauche, une affiche annonce la vente de terres aux environs de New York. L'imaginaire de l'émigration s'intègre même dans les cartes de vœux de la nouvelle année juive (page de gauche).

de navigation continuent quant à elles leurs campagnes de publicité agressives pour remplir les paquebots : c'est la guerre des prix qui parfois détermine les émigrants à faire tel ou tel choix!

Retours au pays, comptes rendus des journaux et «lettres d'Amérique»

Souvent méfiants à l'égard de la publicité officielle, les émigrants croient plus volontiers les journaux, les amis ou les parents qui ont entrepris la traversée avant eux. Ainsi, les Polonais de Silésie envoient

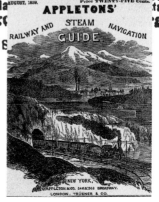

des éclaireurs sonder la qualité des terres agricoles d'Amérique. Le journal suédois libéral *Karlstads-Tidningen* vante les débouchés formidables du Middle West et donne des informations sur le marché du travail américain. En 1907, Hinko Sirovatka, rédacteur en chef de *La Bannière croate* à Chicago, édite à Zagreb un guide sur l'immigration intitulé «Qu'est-ce que l'Amérique et pour qui la traversée a-t-elle un sens?». Comme d'autres guides, celui de Sirovatka offre des conseils pratiques sur la façon de se présenter à Ellis Island et suggère des réponses toutes faites aux questions des agents.

Par ailleurs, on lit avec fierté les lettres qui témoignent de réussites en Amérique, dont la nouvelle se répand vite à travers la famille et le village. Ici un paysan irlandais parle de liberté et d'égalité; là une domestique suédoise raconte qu'elle est enfin traitée comme un être humain et qu'elle n'a plus à aller chercher l'eau au puits. Enfin, comme

L'arrivée d'une lettre d'Amérique est souvent un événement collectif. Pour y répondre, on mobilise les individus les plus alphabétisés de la famille (ci-dessous) ou l'on recourt à un écrivain public. Les lettres des émigrants véhiculent les espoirs et les plaintes, comme le montre cet écrit d'un

l'écrit un émigrant allemand enthousiaste, «vous n'avez plus besoin d'enlever votre chapeau quand vous allez chercher du travail».

Souvent cependant, le contenu de ces lettres est mitigé. L'Amérique est la terre de l'or certes, mais c'est aussi la terre du labeur. En Allemagne, par exemple, un roman populaire, *Der Amerikamüde* de Ferdinand Kürnberger, raconte l'échec d'un émigrant.

Les histoires d'injustice et d'exploitation publiées par la presse ouvrière et celle de gauche viennent aussi contredire les clichés d'une Amérique libérale,

émigré polonais à sa famille : «On travaille comme des chevaux ou des bœufs, même plus dur encore, car en Pologne au moins les chevaux et les bœufs sont libres le dimanche et les jours de fête religieuse.»

synonyme de réussite et de liberté. *Il Proletario*, journal italien de New York, écrit en 1917 : «Arrivés en Amérique, cette prétendue terre de liberté et de pain, nous n'avons trouvé qu'une foule de spéculateurs âpres au gain, d'espions et de juges corrompus.» Au début des années 1920, le journal suédois *Socialdemokraten* se montre de plus en plus pessimiste sur les possibilités d'emploi et met en garde contre la «tragédie d'Ellis Island», reprenant la plaisanterie juive suivant laquelle même Jésus et ses apôtres n'auraient pas été admis aux Etats-Unis.

Les nombreux guides vont du récit personnel au catalogue encyclopédique. L'un d'eux donne la liste détaillée des vingt-huit espèces d'arbres poussant dans l'Illinois. Ici, à l'usage des immigrants allemands, un guide de poche, «d'après l'expérience et les sources personnelles de Hans Rau», donne

Pourtant les réseaux des immigrés continuent de fonctionner et, comme le dit l'un d'eux, «nous étions prêts à oublier la moitié de ce que l'on racontait et à être toujours satisfaits». Les lettres les plus décourageantes se disqualifient d'elles-mêmes dans la mesure où elles sont accompagnées d'argent que l'on envoie pour réparer les toits, payer les dettes, acheter de la terre, fournir une dot ou financer un billet de départ. En 1908-1909, 60 % des Européens du Sud et de l'Est arrivent ainsi avec des billets prépayés; ils sont de 30 à 40 % en moyenne avant la Première Guerre mondiale.

toutes précisions sur les itinéraires de voyage, les concessions, les lois, les types de cultures, les métiers, la monnaie etc. (page de gauche). Ci-dessus, à gauche, un livre russe sur l'émigration aux Etats-Unis paru en 1906. Chansons et ballades sont un autre moyen de mettre l'expérience migratoire en images (ci-dessus et à droite).

La Statue de la Liberté, symbole d'espoir

Deux images symbolisent aujourd'hui la mémoire de l'immigration en Amérique : la Statue de la Liberté et Ellis Island. Longtemps elles ne furent que de simples points de repère sur la longue route de l'entrée aux Etats-Unis.

A l'origine, la Statue de la Liberté n'est pas pensée comme un symbole de bienvenue destiné aux nouveaux arrivants. Conçue par le sculpteur Bartholdi, dessinée par Viollet-Le-Duc et Eiffel, la statue est un cadeau offert par les Français au peuple américain. Lors de son inauguration en octobre 1886 par le président Cleveland, les discours soulignent l'amitié franco-américaine et évoquent de façon plus générale l'amitié et la paix internationales. L'idée de

Emma Lazarus, Juive américaine, va s'intéresser à la cause de l'immigration, après les pogroms de Russie de 1881. Elle écrit «Le Nouveau Colosse» afin de promouvoir la souscription ouverte pour l'édification de la Statue de la Liberté.

"De temps en temps, je regardais la foule de troisième classe, bruyante, pittoresque et sentant l'ail : une douzaine de nationalités grouillant autour des cabestans et des treuils. Ils se pressaient contre les rambardes, tournant et tendant le cou pour pouvoir jeter un coup d'œil sur ce nouveau pays, sur la ville; hissant leurs enfants, même les bébés, afin qu'ils puissent voir la Statue de la Liberté; des femmes pleuraient de joie, des hommes tombaient à genoux en action de grâce et des enfants hurlaient, pleuraient, dansaient."
Louis Adamic, 1932

refuge est à peine mentionnée et l'on fait peu de cas du poème d'Emma Lazarus, «Le Nouveau Colosse», gravé au pied de la statue. C'est en 1924 seulement, l'année où l'on réduit sévèrement l'immigration, que la statue est déclarée monument national. Il faudra attendre les années 1930 pour que

l'immigrant yougoslave Louis Adamic fasse connaître
plus largement le poème de Lazarus : alors que la
notion de pluralisme culturel commence à trouver
un écho favorable, Adamic cherche à réhabiliter
l'histoire de l'immigration en Amérique et la Statue
de la Liberté en apparaît comme le symbole premier.

Ellis Island, seuil de l'Amérique

A la fin du XIXe siècle, les trois quarts environ des
immigrants qui arrivent aux Etats-Unis passent par le
port de New York. Afin de centraliser les opérations,
un dépôt unique, Castle Garden (un ancien opéra
situé à l'extrémité sud de Manhattan), avait été
acheté en 1855 par le Bureau d'immigration de New
York. On y enregistre les immigrants après leur avoir
fait passer une visite médicale, suivie parfois d'une
période de quarantaine à Staten Island. En 1882,
Castle Garden est repris sous contrat par le ministère
des Finances américain. Le jour où Ellis Island ouvre
ses portes en 1892, l'immigration est désormais
administrée par le gouvernement fédéral.

Ellis Island est avant tout un bureau administratif
de filtrage. Les quelque 5 000 immigrants qui y
arrivent tous les jours retirent leurs bagages tout en
veillant à ne pas perdre leurs enfants. Puis ils doivent
passer la terrifiante inspection médicale et répondre
aux questions des agents du bureau d'enregistrement.
On trouve à Ellis Island de quoi changer son argent,
un guichet de vente de billets de train pour l'intérieur

Un mélange d'attentes confuses et de tohu-bohu : *La Terre promise*, ce tableau de Charles Ulrich peint en 1884 (ci-contre), résume bien l'ambiance qui règne au moment de l'arrivée en Amérique. En 1884, on ne foule encore le sol américain qu'après un passage obligatoire à Castle Garden (page de gauche). Ouvert en 1855 afin de mieux encadrer les immigrés et de les protéger des escrocs de toutes sortes qui proposent leurs services, ce dépôt accueillera 9 millions d'immigrés dans les trente-cinq années de son existence. Ses détracteurs disent que ce bureau n'a fait que repousser les filous un peu plus loin et que la corruption s'était également installée dans son enceinte. Avec la croissance de l'immigration des années 1880, Castle Garden devient trop petit. On cherche alors une autre solution permettant aussi un meilleur isolement des immigrés à l'arrivée. Au centre, le passeport d'une émigrée juive polonaise en 1882.

du pays, un bureau de télégraphe, plusieurs restaurants et un coiffeur. Il y a aussi une foule d'agences bénévoles qui cherchent à protéger les immigrants de toutes sortes d'escrocs, dont certains agents d'hôtels ou de pensions, omniprésents et souvent moins que scrupuleux. Plus d'un immigrant crut ainsi acheter un billet de train pour Boston avant de s'apercevoir qu'il avait en fait un ticket de métro pour le Bronx.

En 1897, une partie des installations d'Ellis Island est ravagée par un incendie. Outre de nouveaux bâtiments plus solides, on construit alors des dortoirs et un hôpital. En 1907, quinze paquebots chargés de 22 000 passagers chacun arriveront en une seule journée! C'est là aussi que les agents du Bureau d'immigration américanisent et transforment les patronymes : et les Barmazel de se voir rebaptisés en Brown... Dans cette tour de Babel, les murs sont placardés d'instructions en une douzaine de langues et il y a sur place des interprètes; pourtant les Croates doivent faire pression pour que leur propre interprète remplace le Hongrois qui leur a été assigné : il incarne trop l'empire qu'ils viennent de fuir!

La crainte du rejet

Ellis Island est donc le seuil de l'Amérique – comme Angel Island dans la baie de San Francisco qui filtre les Asiatiques. Mais ce sont des portes que l'on franchit avec appréhension. Ainsi Adamic décrit-il son arrivée à Ellis Island en 1913 : «Le bruit courait [...] que

Pour remplacer Castle Garden, certains suggèrent l'île de la Liberté. Mais la proposition est rejetée pour des raisons esthétiques : quelle idée d'entourer la statue majestueuse de bâtiments qui nuiraient à sa silhouette. On aménage donc Ellis Island, qui entre ainsi dans la mythologie américaine. La première immigrée accueillie s'appelle Annie Moore, une Irlandaise de quinze ans. Elle sera suivie par 445 986 autres, dès la première année de la mise en service de ce centre.

certains d'entre nous se verraient refuser l'entrée aux Etats-Unis et seraient renvoyés en Europe. L'idée me donna des sueurs froides pendant plusieurs heures. [...] Plus tard, après avoir chassé ces angoisses, je fus pris d'une peur panique d'attraper la rougeole, la variole ou autres maladies. [...] Je tremblais sans dormir toute la nuit, écoutant tous ces passagers qui ronflaient et rêvaient tout haut en une douzaine de langues différentes. »

Avant son aménagement en lieu d'accueil pour les immigrés, Ellis Island ne mesure que 1,2 hectare. Une deuxième île est ajoutée en 1899.

L'univers d'Ellis Island

Passé et présent se mêlent dans le grand hall d'enregistrement d'Ellis Island (ci-contre). Portant des étiquettes au nom de leur navire, les immigrés sont interpellés : «D'où venez-vous? Où allez-vous? Etes-vous prisonnier, polygame ou prostituée?» Avec un peu de chance, en deux ou trois heures, on peut continuer sa route avec un billet de train épinglé au revers du veston (ci-dessous). Pages suivantes : à gauche, la visite médicale et l'interrogatoire; à droite, le réfectoire et les bureaux de change.

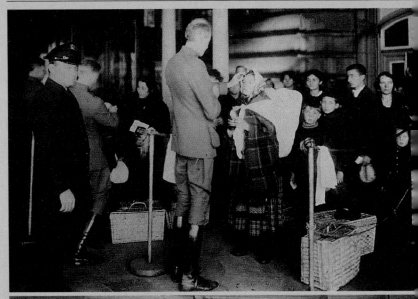

Des lois successives interdiront en effet l'entrée des prostituées, des criminels, des handicapés mentaux, des indigents, des travailleurs engagés sous contrat, des polygames, des épileptiques et des anarchistes. La visite médicale peut se solder par la détention ou le retour forcé. Ainsi, au tournant du siècle, le trachome ou le choléra seront un obstacle pour beaucoup. Cependant, il y aura plus de peur que de mal : si certains émigrants potentiels sont refoulés avant l'embarquement en Allemagne et en Italie, 1 % seulement de la population qui passera par Ellis Island (mais 10 % de celle qui passera par Angel Island) ne pourra entrer dans le pays entre 1892 et 1910.

Seule une minorité se voit refuser l'entrée aux Etats-Unis (ci-dessus); 10 à 20 % des «refusés» le sont pour maladie contagieuse, la même proportion pour infraction à la loi du travail, le reste pour indigence.

TO EMIGRANTS.

CHOLERA.

D'ouest en est : les retours

Malgré la force d'attraction exercée par l'Amérique, nombre d'émigrés décident de retourner en Europe. Le phénomène ne passe pas inaperçu : au milieu du XIXe siècle, un journal allemand accuse ainsi le port de Bremerhaven de ne pas divulguer les statistiques sur le taux de retours pour ne pas décourager les futurs émigrants et ne pas ruiner l'activité commerciale du port. Par ailleurs, certains patriotes anti-immigrés et

En 1892, les ports américains sont fermés temporairement à cause d'une épidémie de choléra. Des milliers d'émigrants sont ainsi déroutés vers d'autres destinations. Certains restent sur les lieux de transit, en Europe.

représentants du gouvernement américain reprochent à ceux qui repartent de piller l'économie américaine et de rentrer chez eux «les poches pleines».

Ce mouvement comprend les déçus et les mécontents, mais aussi ceux qui ont réalisé leur rêve et regagnent leur pays pour y acheter de la terre. Cependant, il est difficile d'estimer le nombre exact de ces retours dans la mesure où l'on enregistre les entrées aux Etats-Unis et les passagers des navires sans distinguer les voyageurs temporaires des émigrants permanents – distinction rarement faite par les émigrants eux-mêmes.

Un tiers des émigrants reviendront chez eux au cours des deux dernières décennies du XIXe siècle : environ 35 % des Slaves, 40 % des Grecs, plus de 50 % des Italiens du Sud et même 15 à 20 % des Juifs. En général, plus le déséquilibre entre les sexes est important dans un groupe, plus le taux de retour est élevé ; en outre, les hommes repartent plus souvent que les femmes.

En 1907, l'année de crise économique aux Etats-Unis, les Hongrois seront plus nombreux à repartir qu'à immigrer. Entre 1880 et 1930, 3 à 4 millions d'émigrants s'en retourneront chez eux, transformant leur exode en simple aller-retour. On les appellera les «Yanks» en Irlande, les «Americanos» en Italie, les «Amerikan-Kävijöitä» en Finlande et les «Amerykanty» en Pologne.

« **S**ur une carte de New York coloriée par nationalité, il y aurait plus de rayures que sur la peau d'un zèbre et plus de couleurs que dans un arc-en-ciel. »

Jacob Riis, *How the Other Half Lives*, 1890

« **O**n peut difficilement parler de quartiers américains à Milwaukee tant ses citoyens sont, en général, nés à l'étranger ou nés de parents étrangers. »

U. S. Immigration Commission, 1911

CHAPITRE III
LA MOSAÏQUE DU XIXe SIÈCLE

Le jour où les portes d'Ellis Island s'ouvrent, le modèle homogène du *Mayflower* est depuis longtemps obsolète. A gauche, arrivée d'émigrants danois. A droite, le «jeu des émigrants», puzzle des années 1850.

Le trafic d'esclaves cesse au début du siècle, tandis que les autochtones sont repoussés encore plus à l'ouest et physiquement éliminés. De nouveaux courants d'immigration confluent avec les courants originaux du nord et de l'ouest de l'Europe : les Allemands et les Irlandais, puis les immigrants d'Europe du Sud et d'Europe centrale – Italiens du Sud, Polonais et Juifs – forment les éléments à partir desquels l'identité américaine se reforgera.

Les Britanniques arrivent encore en nombre

Entre 1820 et 1890, 2,7 millions de personnes viennent encore d'Angleterre, d'Ecosse et du pays de Galles; ce sont ceux que l'on appelle les immigrants «oubliés» (ou «invisibles») de l'histoire des Etats-Unis. Car ils ont beau suivre les traces de leurs illustres et déjà mythiques ancêtres coloniaux, ce ne sont plus eux qui définissent les us et coutumes américains; ils doivent désormais s'y adapter.

Ces émigrants sont pour la plupart des agriculteurs ou des travailleurs qualifiés qui exportent leur savoir-faire et parfois certains tours de main industriels. Pour autant, ils ne sont pas tous constructeurs de machine ou exploitants. Beaucoup ne découvrent le travail industriel qu'en arrivant. D'autres, comme les couteliers de Sheffield qui s'installent ensemble dans le Connecticut, s'accrochent à leurs méthodes de travail traditionnelles alors que le Nouveau Monde utilise déjà des moyens mécanisés.

La majorité des travailleurs qualifiés britanniques sont mineurs ou appartiennent aux corps de métiers du bâtiment, deux corporations qui se déplacent beaucoup. Les mineurs qualifiés du pays de Galles, du nord de l'Angleterre et de l'ouest de l'Ecosse vont travailler dans les mines de charbon de Pennsylvanie, de Virginie occidentale et de l'Illinois; mais ils ne cessent d'aller et venir entre les Etats-Unis et le Canada (particulièrement en Nouvelle-Ecosse) ou à travers l'Atlantique en fonction des cycles économiques. Dans les années 1880, les tailleurs de pierre suivent un mouvement de migration annuel entre les deux continents. En général, beaucoup d'artisans passent les premières années de leur vie aux Etats-Unis à vagabonder avant de s'installer.

Mythe de stabilité et mobilité de fait résument la vie des mineurs (au centre), tisseurs, menuisiers, et autres ouvriers qualifiés britanniques aux Etats-Unis. L'un d'eux, venu rejoindre son père et ses frères à New Jersey en 1860, part quatre ans plus tard vers la Pennsylvanie avec eux. Cinq ans après, il continue sa route jusqu'aux mines du Nevada où il travaille pendant trois ans avant de revenir dans le New Jersey. Il s'installera enfin en Pennsylvanie, trente-deux ans après son arrivée aux Etats-Unis! A gauche, fermiers du Colorado.

Le passage d'une émigration protestante à une émigration catholique : les Irlandais

Plus nombreux, moins qualifiés et plus pauvres, 3,4 millions d'Irlandais viennent trouver un refuge économique aux Etats-Unis dans la même période – sans compter ceux qui sont d'abord passés par l'Angleterre ou l'Ecosse. Ces émigrants chassés par la famine accusent la tyrannie britannique de les exiler loin de leur pays ; souvent, ils font précéder le départ pour les Etats-Unis d'une «veillée mortuaire» rituelle, même si partir en Amérique signifie aussi partir à la conquête de l'Eldorado.

L'expérience qu'ont les Irlandais de la pomme de terre ne leur servira guère dans le Nouveau Monde. Contrairement aux autres émigrants du milieu du XIXᵉ siècle qui transplantent leurs fermes sur la Frontière américaine, les immigrés irlandais abandonnent, la plupart du temps, l'agriculture pour l'industrie, et le village pour le bourg ou la ville, dès qu'ils arrivent. Les femmes irlandaises sont souvent petites mains dans les industries textiles de la Nouvelle-Angleterre et employées de maison ou couturières à New York, tandis que les hommes travaillent sur les chantiers de construction des villes de la côte Est et du Middle West.

Coursier, boxeur professionnel, joueur de casino, et enfin sénateur de l'Etat de New York : le parcours sans faute de John Morrissey est un exemple de la réussite irlandaise (ci-dessus).

❝Je voulais que ma mère soit heureuse. Quand j'étais petite, je lui disais : «Ne te fais pas de soucis, parce que quand je serai grande, j'irai en Amérique et je gagnerai beaucoup d'argent et je te l'enverrai. Tu auras tout, maman.»❞
Immigrée irlandaise

L'image de l'Irlandais du XIXe siècle est associée d'une part à la boisson et à la violence, d'autre part à un nouveau style de politique. On convertit les saloons en salles de réunions politiques, et les Irlandais légueront à l'Amérique plus d'un leader municipal.

L'immigration irlandaise se distingue aussi par l'importance du nombre des femmes. Alors qu'elles constituent seulement 41 % de l'immigration allemande, 43 % de l'immigration juive et 21 % de celle d'Italie du Sud, elles représentent 52,9 % de l'immigration irlandaise. Elles partent seules et forment dans le Nouveau Monde cette «*Femina economica*» souvent méconnue.

Dans le port de Cork, le docteur O'Connor examine les partants à l'embarquement (ci-dessous). Les autorités américaines encouragent les contrôles sanitaires avant le départ vers le Nouveau Monde. Au centre, départ de 400 femmes en 1867.

Entre 1820 et 1890, 4,4 millions de catholiques, de protestants et de juifs quittent les Etats allemands pour les Etats-Unis

Leurs régions d'origine sont aussi diverses que leurs religions. Les juifs allemands apportent avec eux un judaïsme réformé et profiteront plus tard de leur expérience d'acculturation pour essayer d'américaniser les juifs russes. Cependant, le terme

d'«immigré allemand» s'applique en général aux luthériens et aux catholiques qui arrivent en masse au cours du siècle et forgent une véritable identité germano-américaine qui est une des «réussites» du siècle dans le domaine ethnique. Entre le premier «Maifest» de 1842 et les «Journées allemandes» de la fin des années 1880 et 1890, Bavarois, Prussiens et Saxons se constituent en tant qu'«Allemands» dans le Nouveau Monde, au moment même où l'unification allemande se fait dans l'Ancien Monde.

Les immigrants allemands qui arrivent en 1875 sont artisans qualifiés (1/3), paysans (1/4) et ouvriers (1/4). Ils partent le plus souvent à la recherche de fermes dans le Middle West, où ils réussissent dans la polyculture. Cependant, beaucoup s'arrêtent aussi en chemin dans les villes (Milwaukee, Chicago) : ils y importent la bière et ses techniques de brassage,

Paroisses baptistes et luthériennes sont le centre de la vie religieuse et sociale des immigrés scandinaves en Minnesota (ci-dessous, une église baptiste suédoise vers 1895). Elles se font souvent concurrence. Ainsi, l'église Augustana Lutheran, établie selon les mêmes structures que sa paroisse d'origine en Suède, subira les mêmes tensions. Un dissident de l'église-mère ayant importé ses critiques a sans doute été à l'origine de la création d'une paroisse rivale dans le Nouveau Monde.

ouvrent des restaurants, des échoppes à saucisses, des tavernes, et transposent dans ces «petites Allemagnes» toute une gamme d'activités qui va du chant et du débat au club de gymnastique.

Les Scandinaves poursuivent dans le Nouveau Monde leurs activités traditionnelles

Plus de 1 million de Suédois, de Norvégiens et, dans une moindre mesure, de Danois rejoignent les Allemands dans le Middle West. Un quart de la population suédoise partira aux Etats-Unis entre 1865 et 1930, et seule l'Irlande possède un taux d'émigration par tête plus élevé que la Norvège au XIXᵉ siècle. 95 % des émigrants norvégiens, 92 % des émigrants danois – moins nombreux mais proportionnellement plus urbains – et 98 % des émigrants suédois choisissent les Etats-Unis.

Qu'ils acquièrent des terres grâce

Dans son livre *Pourquoi le socialisme n'existe-il pas aux Etats-Unis?*, Werner Sombart, sociologue allemand du XIXᵉ siècle explique cette situation par le fait que les ouvriers en Amérique mangent trois fois plus de viande et de farine, quatre fois plus de sucre et de légumes, et six fois plus de fruits que les ouvriers en Allemagne. Pourtant les immigrés allemands seront particulièrement actifs dans la création des partis socialistes américains, au point que les représentations d'Allemands en dangereux révolutionnaires viendront concurrencer les caricatures les dépeignant en buveurs de bière invétérés (en haut, à gauche). Ces deux visions seront contrebalancées par celles de familles allemandes paisibles (page de gauche, au centre).

au *Homestead Act* ou qu'ils les achètent par l'intermédiaire des spéculateurs, les Suédois établissent des communautés agricoles prospères au nord du Minnesota (le «triangle suédois») et ailleurs dans le Middle West. Les émigrants qui quittèrent la paroisse de Rättvik pour créer une «filiale» en Isanti Country dans le Minnesota constituent l'exemple type du transfert réussi d'une organisation sociale paroissiale et familiale dans le Nouveau Monde. Pourtant, la terre n'étant pas la même, ces immigrants doivent abandonner le seigle et l'orge qu'ils cultivaient en Suède pour le blé et le maïs de la Frontière américaine.

De la même façon, les Norvégiens colonisent le Middle West et vont parfois comme les Suédois jusqu'à la côte du Nord-Ouest, où pêcheurs et bûcherons peuvent poursuivre leurs activités traditionnelles. «C'est exactement comme en Norvège», s'exclame un immigrant enthousiaste.

Le blé, le bois, et le poisson (ci-dessous, la pêche du saumon près de Seattle) font vivre bon nombre d'immigrés scandinaves dans le centre-nord et le nord-ouest du pays.

Les Italiens émigrent pour gagner assez d'argent et acheter de la terre une fois rentrés au pays

C'est dans ce but que les Italiens se mettent à quitter leur péninsule à peine unifiée dans les années 1880. Plus de 160 000 Italiens partent au Brésil en 1888 et ce n'est qu'au début du XXe siècle que l'émigration italienne aux Etats-Unis dépasse l'émigration en Argentine et au Brésil.

Lorsque ces paysans de l'Italie du Sud commencent à arriver à la fin du XIXe siècle, les terres les plus fertiles sont acquises. Les hommes vont alors œuvrer dans l'industrie du bâtiment, participer à la construction du réseau ferroviaire et à celle des grandes villes américaines. Les femmes travaillent à domicile : elles fabriquent des cigares ; elles sont aussi brodeuses ou couturières, confectionnent des fleurs artificielles pour une industrie du vêtement en plein essor.

La moitié ou presque de ceux qui arrivèrent avant 1910 finirent par rentrer chez eux pour acheter du bétail ou de la terre. Mais dans le même temps, autant abandonnent leur projet

❝ «Mme Baretta est venue d'Italie et elle a une fille. Et si on la mariait avec notre fils ? Tu sais, ils sont du même village que nous et nous nous connaissons.» C'est comme ça que ça marchait autrefois. Et ma mère, quand je suis arrivée à l'âge de me marier, ne m'aurait pas permis que je me marie avec quelqu'un d'un autre village. [...] «Grace, il est sympathique, il est gentil, il a de l'argent.» Je lui répondais : «Maman, je ne l'aime pas. Tu ne te maries pas avec lui ; c'est moi. [...] Je ne me marierai pas avec quelqu'un que je n'aime pas.» ❞
Immigrée italienne, arrivée en 1924

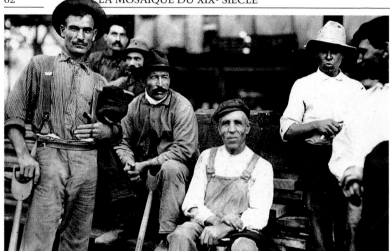

de retour et adoptent le mode de vie urbain américain. Des «petites Italies» se développent dans la plupart des grandes villes américaines, et à cette époque, on compte déjà plus de seize quartiers italiens dans la seule ville de Chicago. L'installation définitive des Italiens devient un phénomène de plus en plus fréquent.

Au début du siècle, les terrassiers italiens aident à la construction du métro new-yorkais.

Les départs définitifs des Juifs

Moins nombreux à émigrer que les Italiens, les Juifs, victimes de persécutions religieuses et politiques, rentrent beaucoup plus rarement dans leur pays d'origine. Ils émigrent donc plus souvent par familles entières qu'individuellement – même si toute une famille n'émigre pas toujours au même moment.

Les émigrants juifs qui arrivent en masse d'Europe orientale à la fin du siècle dernier sont plus urbains et plus lettrés que la plupart des autres émigrants à l'époque. Comme les décrets économiques et résidentiels tsaristes leur interdisaient d'acquérir de la terre et les forçaient à se concentrer dans les grandes villes, ils possèdent déjà pour la plupart un métier artisanal ou commercial quand ils arrivent dans les villes américaines de l'Est et du Middle West. Tailleurs, couturières ou colporteurs, on peut

les voir discuter avec ferveur des systèmes politiques de l'Ancien et du Nouveau Monde au coin des rues.

Juifs et Italiens arrivent à peu près à la même époque, s'installent souvent dans des quartiers voisins et pratiquent les mêmes métiers. Mais les colporteurs juifs deviennent plus vite petits commerçants et les ouvriers juifs de l'industrie du vêtement plus vite patrons et dirigeants syndicaux. Même s'ils passent pour rustres aux yeux des Juifs allemands, les Juifs russes, victimes des mesures tsaristes qui les chassaient de la terre, ont l'avantage sur les paysans siciliens de ne pas être étrangers au milieu urbain lorsqu'ils affrontent le Nouveau Monde.

Les Juifs allemands, déjà installés et enrichis, accueillent leurs coreligionnaires de la fin du siècle avec un mélange de solidarité et de mépris. La pauvreté et le socialisme les effarent (à gauche). Dans les quartiers populaires, les logements exigus servent également de lieux de travail; la vie déborde sur les escaliers, sur les trottoirs et même sur les toits (ci-dessous). Page de gauche, un cordonnier juif à New York.

Les Polonais, en provenance de la Russie, de la Prusse et de l'Autriche

Arrivés avec d'autres Slaves – Croates, Slovènes, Serbes, Macédoniens, Russes, Bulgares, Tchèques, Slovaques, Ukrainiens – et Lituaniens, les paysans polonais sont, avec les Juifs et les Italiens, un des groupes d'immigrants les plus importants de cette fin du XIXe siècle. A la suite des Irlandais et des Italiens, ils viennent gonfler les rangs des paysans transformés en prolétaires et en citadins.

En 1907, les quatre cinquièmes des immigrants

« Teofil n'avait plus de travail, et il pensait aller à la mine. Je ne sais pas s'il l'a fait, parce que dans les mines c'est comme ça : l'un y va et y trouve de l'argent, l'autre y trouve la mort. »

« Mon ancien patron m'a dit aujourd'hui qu'il avait beaucoup de travail, et que je connaissais peut-être des menuisiers. Alors, je te conseille de venir, cher frère. [...] Nous vivrions ensemble, ici à l'étranger. »
Lettres d'immigrés polonais, 1908-1909

polonais sont des ouvriers non qualifiés qui travaillent dans les industries sidérurgiques et les aciéries de Pittsburgh, Cleveland et Johnstown (Pennsylvanie) ou dans les abattoirs, les fonderies et les raffineries de New York, Chicago, Buffalo, Scranton (Pennsylvanie)... L'ouvrier polonais type économise pour s'acheter sa propre maison qu'il agrandit à mesure qu'arrivent

famille et locataires. Mais quand il se lasse, il se remet en mouvement. Créant un flux migratoire inverse de la ville à la campagne, certains s'en vont cultiver la pomme de terre dans le Wisconsin ou se lancer dans l'agriculture ailleurs dans le Middle West.

«Anciens» et «nouveaux» immigrants : de l'émigration rurale à l'émigration urbaine

En 1924, quand la loi sur l'immigration freine sérieusement le trafic des paquebots, la nature de la population américaine n'est déjà plus la même ; elle a de nouveau été transformée par tous ceux qui ont franchi l'Atlantique depuis le début du XXe siècle. Entre 1899 et 1924 sont en effet arrivés 3,8 millions

Hester Street, rue marchande par excellence, est le lieu de rencontre de tous les immigrés du Lower East Side à New York. Cette rue deviendra célèbre dans un film de J. M. Silver d'après le roman d'Abraham Cahan. Dans celui-ci, Yekl, devenu très vite un «Jake» plutôt hautain, fait venir sa femme qui résiste aux efforts de son mari pour l'américaniser.

Nostalgie et souvenirs du pays et de l'enfance : les saucissons, cornichons, spaghettis, pâtisseries, épices et autres spécialités de chez soi sont les «madeleines» des immigrants. Lieux d'approvisionnement et d'échanges sociaux, les épiceries deviennent les premiers commerces des quartiers immigrés. Elles restent des pôles d'attraction pour ceux qui déménagent vers les quartiers plus américanisés. Les immigrés lancent aussi des entreprises visant une clientèle extérieure à leur communauté ethnique. Page de gauche, une épicerie italienne à New York (en haut) et une confiserie scandinave à Minneapolis (en bas) vers 1900. Ci-dessus, une épicerie juive vers 1900 ; ci-contre, une entreprise allemande de peinture, à Watertown, dans le Wisconsin, en 1888.

d'Italiens, 1,8 million d'«Hébreux»
(comme on désigne alors les Juifs) et
environ 1,5 million de Polonais, plus
1,3 million d'Allemands, presque
1 million de Britanniques, 1 million
de Scandinaves, et 800 000 Irlandais.
D'autres groupes arrivent à la même
époque qui comprennent entre 400
et 500 000 immigrants chacun : Anglo-
et Franco-Canadiens, Slovaques, Grecs,
Magyars, Croates, Slovènes et Mexicains.

En même temps que se poursuit
l'immigration allemande et irlandaise,
ces nouvelles vagues plus importantes
d'Italiens, de Juifs et de Polonais provoquent
une virulente polémique sur la nature
de l'immigration. Les protestants anglo-
saxons blancs d'origine britannique,
sinon descendants du *Mayflower*, et
les immigrants d'origine allemande ou
irlandaise devenus américains à leur tour
ont beau regarder d'un mauvais œil ces nouveaux
quartiers d'immigrants populeux, tout est une question
de mémoire – ou d'oubli –, d'identité et de peur.

Le débat oppose alors «anciens» et «nouveaux»
immigrants. Certaines caractéristiques distinguent,
il est vrai, les deux courants d'immigration du
XIXᵉ siècle. La plupart des immigrants allemands
et suédois (mais non les Irlandais) étaient venus
en famille pour coloniser les terres. Les immigrants

Cette caricature de
1893 montre bien
comment le souvenir de
leurs origines, profilées
en ombre derrière eux,
n'empêchent pas les
«anciens» immigrés
américanisés et
enrichis de vouloir
refouler les nouveaux
arrivants (en haut).

de la seconde vague (les Italiens et les Slaves surtout, mais pas les Juifs) sont plus souvent des hommes seuls venus participer à l'industrialisation. La nature et le but de l'immigration de masse se sont donc transformés au cours du XIXe siècle. Mais les immigrants ne portent pas seuls la responsabilité de ce changement : c'est aussi à mesure que diminue la surface de terre exploitable disponible et qu'augmente la demande des industries textile et sidérurgique que les immigrants se dirigent vers les usines et les villes. La transformation de la demande de l'économie

Dans les quartiers immigrés, les conditions de vie sont parfois «pittoresques», mais le plus souvent difficiles : linge séchant dehors, enfants abandonnés à leur propre sort (ci-dessous, dans le quartier de Mulberry Street). La vie sociale comme la vie culturelle des immigrés deviennent la cible des militants restrictionnistes dès la fin du XIXᵉ siècle. Au centre, jour de lessive, dans un quartier populaire de la Petite Italie à New York, vers 1900.

américaine ne signifie pas que le modèle suédois de transplantation d'une structure sociale paroissiale n'est désormais plus viable. Au contraire, lorsque les paysans deviennent prolétaires et colporteurs, ils construisent aussi leur propre espace au sein des villes. La Tour de Babel d'Ellis Island est la mère de toutes les «petites Italies», les «collines polonaises» et les «quartiers juifs» qui forment le paysage urbain des Etats-Unis à l'orée du XXᵉ siècle.

En 1934, Henri Roth, auteur du roman *L'Or de la Terre promise*, met en scène des «poulbots» new-yorkais du tournant du siècle : Juifs, Italiens, Irlandais, Polonais…

« *E* trangers, les immigrants ne trouvaient plus leurs repères ; ils avaient perdu l'étoile polaire leur donnant leur position. »

Oscar Handlin,
The Uprooted, 1951

« *L* es Polonais du quartier Sud, comme ceux du quartier des collines, construisirent des écoles rattachées aux églises, créèrent des associations et des petits commerces prospères. Chaque communauté devint un lieu où l'on se sentait chez soi et en sécurité. »

Michael P. Weber, 1985

CHAPITRE IV
CHEZ SOI
À L'ÉTRANGER

"On s'amusait bien à l'époque. [...] Quelqu'un apportait un violon et on dansait à la maison. [...] C'est comme ça que j'ai rencontré mon mari.**"**
Immigrée norvégienne

Déracinement et transplantation : les immigrés ne sont pas seulement des êtres perdus dérivant au gré des vagues des changements structurels, mais des individus qui tentent de reconstruire un univers familier au sein d'un contexte étranger. Des vastes ciels de l'Ouest aux villes surpeuplées de l'Est, les Suédois dans le Minnesota, les Allemands dans le Wisconsin, les Italiens à Buffalo, les Irlandais à Boston, les Polonais à Pittsburgh, les Juifs et les Italiens à New York, tous s'efforcent de vivre à leur façon le rêve américain.

Les immigrants contribuent à transformer la Frontière

La main-d'œuvre des immigrants arrivés par le Pacifique et l'Atlantique va permettre de construire les chemins de fer. Les voies ferrées du Northern Pacific Railroad recrutent 15 000 Chinois pour travailler sur le seul territoire de Washington.

Kansas Pacific & Denver Pacific

RAILWAY LANDS.

OVER SIX MILLIONS OF ACRES.

The National Land Co.

ARE AGENTS FOR THE SALE OF THESE

VALUABLE LANDS

Prices range from $2 to $6 per Acre.

FIVE YEARS' TIME.

Only Six per cent. Interest.

RICH PRAIRIE, VALLEY AND BOTTOM LANDS,

THROUGH THE CENTRE OF KANSAS & COLORADO.

☞ *Agents of the National Land Company Stations on the line of Railroad, who will show ties over the lands, and who will locate home and Soldiers' claims, where desired.*

GENERAL OFFICE, KANSAS CITY, M

(IN KANSAS PACIFIC R Y)

R. J. WEMYSS,
Secretary.

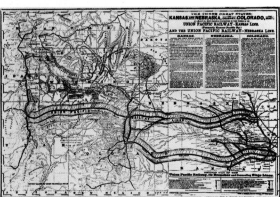

L'extension des lignes ferroviaires et le défrichement de la terre sont liés et se suivent à travers le pays. Le recensement de 1890 révèle ainsi que 15 % des 5 millions de personnes exploitant des fermes sont des Blancs nés à l'étranger. Les paysans immigrants se dirigent le plus souvent vers les terres fertiles du Nord, pour éviter les plantations du Sud dont l'organisation sociale reste liée à l'ancien système de l'esclavage. Mais c'est dans le Middle West et les Grandes Plaines que leur présence est la plus importante. Dans certaines régions comme le Minnesota ou le Dakota du Nord, plus de la moitié des travailleurs de la terre sont des immigrants. Outre ceux qui acquièrent leur propre petite parcelle de Frontière, la plupart des métayers et des ouvriers agricoles sont nés à l'étranger. Enfin, les Etats du Sud-Ouest commencent à compter sérieusement sur la main-d'œuvre mexicaine lors de la Première Guerre mondiale.
Les immigrants importent de leur pays d'origine des techniques et des cultures ou industries rurales.

La jonction des chemins de fer entre l'Est et l'Ouest en 1869 (ci-dessous) permet désormais le développement de l'intérieur du pays. *Homesteaders*, spéculateurs et aventuriers vont s'y employer. A gauche, en haut, une affiche de la National Land Company pour la vente de terres le long de la ligne du Pacifique. En bas, une carte de la ligne traversant les Etats du Kansas, Nebraska et Colorado en 1947.

Les Allemands de Pennsylvanie ouvrent ainsi la voie avec la rotation des cultures. Les familles allemandes de Russie transportent à travers l'Atlantique des boisseaux de blé de Crimée résistant aux hivers les plus durs et transforment les deux Etats du Dakota en l'une des terres de culture de blé les plus fertiles au monde. Les Suisses introduisent l'industrie laitière dans le Wisconsin. Les Français et les Hongrois créent la viticulture en Californie. Enfin, on attribue aux Scandinaves l'introduction du socialisme agraire dans le Dakota du Nord.

A l'inverse, ces paysans doivent aussi s'adapter : les paysans allemands inventent sur place le fameux chariot «Conestoga» pour transporter leurs produits au marché, qui devient le symbole même du long périple vers l'Ouest.

En 1866, on traverse encore les montagnes Rocheuses en caravane. En 1887, le «train des émigrants» (ci-dessus) de l'Union Pacific Railway relie New York à San Francisco en treize jours.

La traversée du continent

Pour les immigrants comme pour les Américains de souche, la traversée du pays s'effectue en chariot ou par chemin de fer, et souvent en plusieurs étapes. En 1888, plus d'une douzaine de familles norvégiennes se déplacent ensemble du sud-est du Minnesota au Dakota du Nord. Les frères Gilbertson louent un *emigrant car* et font trois fois le voyage aller-retour pour déménager les affaires de toutes les familles, dont les deux vaches, les deux veaux, le poêle, la tondeuse et les 250 piquets de clôture des Elken. Et quand John J. Hof (né Hofhaug en Norvège) ne parvient pas à recruter un nombre suffisant de paysans norvégiens pour ses terres dans le Wisconsin, il passe des annonces dans la presse polonaise des villes minières et textiles de l'Est. En 1905, environ 650 familles ont ainsi quitté Chicago,

Milwaukee, Buffalo, Detroit et autres villes pour aller s'implanter dans les «colonies polonaises» de Hof.

Or la vie de la Frontière est loin d'être facile ou idyllique, même si les associations de colonisation agricole des immigrants encouragent à fuir les centres industriels surpeuplés. Certaines colonies disparaissent même, comme une colonie juive installée à Beersheba, dans le Kansas. S'ils veulent arriver à joindre les deux bouts, les paysans, même propriétaires, doivent souvent pratiquer différents petits métiers complémentaires ou travailler comme saisonniers. En hiver, les Russes allemands retournent en forêt travailler le bois. Les paysans norvégiens arrondissent leurs revenus en se faisant charpentiers, routiers ou employés des chemins de fer. Les femmes sont employées de maison, cuisinières et blanchisseuses. Et les forgerons et ferblantiers qualifiés qui pensaient devenir fermiers en Amérique doivent souvent revenir à leur métier original en arrivant dans les Grandes Plaines.

La Frontière transforme les immigrants

Si les immigrants ont permis la construction de l'Amérique et la transformation de la Frontière, la présence de terres arables a-t-elle changé le «paysan européen imprévoyant et sans ambition en un fermier de l'Ouest indépendant»? La Frontière en fit-elle des

••J'espère avoir une bonne récolte cette année; bien que j'ai eu beaucoup de problèmes avec le maïs car les taupes ont mangé toutes les graines. Mon blé pousse très bien, mes herbages et le trèfle aussi. L'an dernier, j'ai essayé l'orge pour la première fois. [...] Tout le monde se plaint ici que les temps sont durs et c'est vrai. [...] Les prix agricoles ont tellement baissé mais les salaires des travailleurs qualifiés et celui des journaliers sont restés aussi élevés qu'avant. Si cela continue, je deviendrai pasteur ou médecin ou les deux à la fois. Les métiers qualifiés sont toujours les meilleurs ici.**••**
Lettre d'un immigré allemand en 1841 (Ci-dessus, des bûcherons scandinaves. A droite, en 1899, paiement avec de la poussière d'or!)

Américains, comme le suggère l'historien Frederick Jackson Turner, auteur de la fameuse «thèse de la Frontière»?

L'expérience de la Frontière renforce les liens entre immigrants. D'Odessa dans le Dakota du Sud à Norway Lake dans le Dakota du Nord, tout village d'immigrés commence par se construire autour d'une église ou d'une école. C'est la création de ces communautés de langues diverses autant que le creusement des voies dans la roche et la culture du blé qui permettra d'apprivoiser le «Wild West».

J'étais la seule fille avec six frères, et nous avions tous les travaux de ménage à faire. Je trayais les vaches et séparais la crème, [...] faisais la vaisselle, et aidais à faire la lessive. Nous devions tous faire ce que nous pouvions, vous savez. Je devais pomper l'eau du puits et l'apporter à la maison, et puis la chauffer pour faire la lessive, et puis aller encore chercher de l'eau. Pour une famille si nombreuse, il fallait beaucoup d'eau. Ma mère fabriquait du savon. Je ne sais pas comment. [...] Et bien sûr, elle faisait le pain.
Immigrée norvégienne arrivée en 1906

Le paysage urbain : «tenements» et saloons

Au tournant du siècle, les immigrants échouent bien plus souvent dans les villes que dans les campagnes. Pour beaucoup, c'est un véritable choc. Les nouveaux arrivants sont littéralement ébahis par les «gratte-ciel» (de dix étages). La vie dans les villes américaines est déconcertante même pour ceux qui ont vécu dans les villes européennes avant d'émigrer.

Comme le note le journaliste juif

Abraham Cahan à son arrivée à New York en 1882 : «J'avais de l'Amérique l'image naïve d'un pays tout neuf, [...] parfaitement propre, et voilà que je me retrouvais en face d'une vieille bicoque battue par les vents et toute de guingois. Comment donc avait-elle eu même le temps de vieillir ?»

La vie urbaine, comme la vie dans les fermes, signifie pour les immigrants un travail astreignant, des conditions matérielles souvent

pénibles et un effort constant pour recréer un univers familier au sein d'un nouvel environnement. Il faut supporter les logements surpeuplés (*tenements*) et les voisins qui hurlent dans d'autres langues. Les immigrants ne peuvent résister au choc qu'en créant leur propre espace : dans les églises et les saloons, on prie, on boit, on échange des informations et on trouve du travail. Car la langue, les rites, la nourriture et la bière conservent leur saveur originale...

Travailleurs qualifiés ou non, dans l'industrie lourde ou dans la petite industrie

On trouve du travail en famille et entre amis, et les immigrants embauchent en priorité leurs compatriotes. Les Italiens se suivent dans les carrières, les Polonais dans les aciéries, et les Juifs dans les ateliers de

L'Amérique des taudis s'oppose à l'Amérique pavée d'or. Jacob Riis et d'autres réformateurs de la fin du siècle dernier se sont penchés, par l'écrit et par l'image, sur la vie dans les quartiers immigrés des villes. Comme le note Riis : «Une moitié du monde ignore la vie de l'autre moitié.» Ici, à New York, l'«autre moitié» photographiée par Riis : à gauche, une mère italienne et son bébé ; au centre, une cour intérieure dans Baxter Street en 1890 ; ci-dessus, une chambre du Lower East Side abritant toute une famille. Mais ces images misérabilistes utilisées par les réformateurs comme un moyen de lutte ne rendent pas compte de l'énergie des immigrés à reconstruire leur «chez-soi», même dans ces conditions.

confection. La main-d'œuvre des usines
est donc formée de groupes ethniques, comme les
femmes irlandaises, anglaises et franco-canadiennes
des industries textiles de la Nouvelle-Angleterre
ou les hommes d'Europe de l'Est des aciéries de
Pennsylvanie. Les haquetiers, charpentiers, maçons
et ouvriers allemands et irlandais construisent ainsi
Chicago, New York et Boston ; les Juifs russes et les
Italiens – hommes et femmes – prennent le relais des
Juifs allemands dans une industrie de l'habillement
en pleine effervescence. A New York, à la fin du
siècle dernier, les colporteurs sont italiens et juifs,
tandis qu'à Boston, New York et Philadelphie les
domestiques sont irlandaises et à Chicago suédoises.

Les femmes
immigrées
participent aussi à
l'industrialisation de
l'Amérique. Celles de
la première génération
vendent des bretzels
dans la rue (à droite),
s'occupent de la
cuisine et du linge
des pensionnaires
ou encore travaillent
à domicile. Elles, et
surtout leurs filles,
entreront de plus en
plus souvent en usine
(ci-dessus, vers 1920).

Arrivé aux Etats-Unis en 1905, le Serbe Nikola B. sera tour à tour mineur, ouvrier d'aciérie, de nouveau mineur, épicier et à l'occasion musicien, avant de se retrouver une nouvelle fois ouvrier des aciéries. Ci-contre, des immigrés slaves travaillant dans une aciérie à Pittsburgh en 1909.

Peu à peu, il se forme aussi une petite classe moyenne immigrante. Les marchands, les prêtres, les patrons de saloons et les propriétaires de pensions deviennent les notables de leur communauté ; les entrepreneurs et les contremaîtres immigrants aident leurs compatriotes à trouver du travail. Patrons souvent trop paternalistes, ils servent d'intermédiaires utiles. Mais les *padroni* grecs, syriens et italiens gagnent la mauvaise réputation d'exploiter les jeunes garçons qu'ils recrutent pour être cireurs de chaussures ou colporteurs, ou pour utiliser dans de véritables camps de travail.

Du balayeur au banquier

Les «banquiers» immigrés ont souvent toute une gamme de métiers de service à offrir : notaires, agents de voyages faisant office de

bureaux de placement et importateurs de nourriture traditionnelle. L'histoire de Franjo Zotti, qui devint l'un des immigrants croates les plus riches, est exemplaire. Zotti commence sa vie en Amérique comme bàlayeur des rues, puis ouvre un bureau d'aide aux immigrants à New York en 1889. Dix ans plus tard, c'est un banquier prospère qui a des filiales à Pittsburgh et à Chicago, qui vend des billets pour la traversée et opère des transactions financières entre les deux continents. Il fonde en outre le *Narodni List*

Pour trouver du travail, le bouche à oreille marche surtout pour les travaux en ville. Pour les mines, la construction ou les chemins de fers, les agences proposent transport et logement, sans débours de la part du candidat.

(*La Gazette nationale*) dont «seule la langue est étrangère» mais «l'esprit américain».

Or Zotti sera accusé de fraude par d'autres journaux croates, et la crise financière américaine de 1907 achève de le ruiner. Le récit de sa vie est fort révélateur : les histoires de réussites ou de carrières spectaculaires sont rarement linéaires.

Même si les immigrants dont la réussite est foudroyante sont peu nombreux, ils suffisent à nourrir l'un des mythes américains les plus puissants. Combien de récits ne commencent-ils pas par «il est arrivé avec trois sous en poche, et dix ans plus tard il était…».

Associations, sociétés de secours et journaux

De l'église à la synagogue, de l'école paroissiale aux divers cours du soir,

Arrivés à la fin du siècle, les Bregstein deviennent des Breakstones et des Bregstones. Les premiers seront célèbres dans les produits laitiers. Philip Bregstone (deuxième rang à droite) deviendra juge à Chicago.

Svensk-Americansk
HANDELSSKOLA
är nu öppnad i HARRISON BLOCK, hörnet af
Washington & Nicollet Avenues.

des caisses de secours aux caisses de prêt, les immigrants sont prompts à former toutes sortes de ces associations bénévoles qui sont aux yeux de Tocqueville le fondement de la structure sociale de l'Amérique. Mais pour les nouveaux venus, elles sont un moyen de conserver un lien avec leur passé et de tisser sur place un réseau de solidarité.

En 1912, les Polonais ont créé plus de 7 000 associations, comprenant en tout quelque 800 000 membres. A travers leurs deux fédérations les plus

Les immigrés ouvrent également leurs propres écoles, telle cette école de commerce américano-suédoise où anglais, allemand, arithmétique et comptabilité font partie du programme de base.

importantes, l'Alliance nationale polonaise et
l'Union catholique romaine polonaise, ils se font
les champions du nationalisme et du catholicisme,
deux facteurs constitutifs de l'identité polonaise en
Amérique. L'Alliance des femmes polonaises, quant
à elle, réunit en 1924-1925 environ 25 000 membres.

Les sociétés de secours grecques organisent des bals
pour ramasser l'argent destiné à construire les écoles
et les églises dans les villages de leur pays d'origine.
Les *bygdelag* norvégiens, comme les *landsmanshaftn*

Continuité et changement se retrouvent dans les associations d'immigrés : les femmes suédoises se réunissent pour des après-midi café (à gauche); les jeunes

juifs, réunissent les personnes originaires de la même
région. Maïs ce type d'attachement à une région
particulière du Vieux Monde finit par se transformer
à travers la construction des identités nationales dans
le Nouveau Monde. Les institutions d'immigrés
fournissent des services et permettent de s'intégrer et
de s'informer sur les us et coutumes en Amérique.

Danois forment des équipes de foot (ci-dessus); les Allemands se rassemblent pour clamer leur soutien à l'Amérique après la guerre de Sécession (ci-dessous).

De tous les immigrants du XIXᵉ siècle, les
Allemands sont souvent perçus comme les plus
déterminés à vouloir maintenir une identité double.
Ils possèdent un réseau actif d'organisations
communautaires et de brillants journalistes qui
célèbrent l'heureux mariage germano-américain.
L'Alliance germano-américaine fut par exemple
l'organisme de langue étrangère le mieux organisé
du pays.

Or, après la déclaration de la Première Guerre
mondiale, cette identification au pays originaire
devient problématique. L'écrivain juive Mary Antin
et son mari allemand luthérien, Amadeus William

Grabau, se sépareront à cause de celà.
Plus tard, la Seconde Guerre mondiale mettra
totalement fin à cette expérience de double identité.

Devenir un Américain «à trait d'union» : le rôle de la presse

La presse immigrante, pourtant si diverse, est
unanime à souligner la difficulté à rester fidèle
à ses origines tout en devenant
américain, mais américain «à trait
d'union» : anglo-américain, italo-
américain, germano-américain,
etc. C'est aussi bien une presse
de profit et de propagande
où le lecteur trouve tout
– promesses de guérison rapide
de la tuberculose, exhortations
religieuses – qu'une presse
politique nationaliste,
socialiste ou radicale. Les

Les immigrés se
regroupent aussi
pour protester contre
les conditions de
travail. Ici, Juifs,
Italiens et Russes
demandent la journée
de huit heures au
cours d'une grève dans
l'industrie du vêtement
au tournant du siècle.
Les deux grands
syndicats de cette
industrie (l'ILGWU
et l'ACWA) seront des
syndicats d'immigrés,
toutes nationalités
confondues.

journaux juifs accordent davantage de place aux informations américaines que les journaux italiens et surtout grecs, plus tournés vers le pays d'origine où beaucoup comptent rentrer. Cependant, si le *Forverts* explique en yiddish les règles du base-ball à ses lecteurs, il ne néglige pas pour autant la question de l'identité juive. Inversement, alors que la presse grecque fait la part belle aux débats politiques qui ont cours en Grèce entre royalistes et républicains, *L'Etoile grecque* de Chicago traduit la constitution américaine en grec.

Sur une première version du *Nordisk Tidende*, les armes de la Norvège.

Le fondateur du journal lituanien *Laisvé* en 1918.

Diversité et conflits

A elle seule la presse immigrante suffit à montrer la diversité existant entre les communautés et au sein de chacune d'entre elles. Que ce soit sur des problèmes politiques ou grammaticaux, les immigrants sont souvent divisés. Ainsi *La Parola dei socialisti* de Chicago accuse un journal commercial rival non seulement de publier des annonces d'emploi pour «jaunes» mais d'utiliser

En 1920, on compte 4 journaux albanais, 9 arméniens, 9 croates, 15 grecs... Ci-dessus, un journal français, ci-dessous, un hongrois.

une langue pauvre : «la *Tribuna*, ce canard ridicule, un ramassis barbare de fautes de grammaire».

Le nombre d'associations d'immigrants reflète aussi la variété des groupes et des affiliations

Une version ultérieure du *Nordisk Tidende* avec la Statue de la Liberté, témoin de son intégration.

ПИСАНКА НА СКИТАЛЬЦІВ

Христос Воскрес!

БРАТЯ І СЕСТРИ, УКРАЇНЦІ!

originales de chacun. Les Allemands ont par exemple vingt-quatre sociétés de chant à Philadelphie dans les années 1880 tandis que les Irlandais créent des maisons

Amerika.

de pompes funèbres suivant leur région d'origine. Ces organisations témoignent également l'évolution géographique des vagues migratoires : les Génois et Toscans des quartiers du nord de Chicago se voient supplantés par les Siciliens ; ailleurs, une église

"J'aimerais faire savoir que j'ai été guéri grâce aux médicaments du docteur Woo. J'ai eu la syphilis (*sic*) au nez, aux oreilles, et à la gorge pendant des années, et mon cas était sans espoir. Au bout d'un mois, j'étais guéri, grâce au médecin mentionné ici."

Publicité parue dans un journal grec en 1913

FRANCO-AMERICAIN.

Entered at the post-office at Philadelphia as second-class matter.

l. 2., No. 1. Whole No. 27.　　PHILADELPHIA, TISHRI 26, 5648—OCTOBER 14, 1887.　　$3.00 per Annum. Single Copies, 7 cents.

norvégienne est rebaptisée en église Santa Maria Addolorata. Au cours des périodes de transition, les associations de Hongrois et de Slovaques doivent parfois partager des locaux, et l'on construit à New York et à Boston des «paroisses en duplex» irlandaises et italiennes. Le partage de l'espace ne va pas sans dispute.

"Veuillez m'envoyer un dictionnaire. Je ne peux pas lire votre journal."
(En haut, affiche ukrainienne en 1948. Ci-dessus, journal juif de Philadelphie en 1887.)

L'église peut être aussi bien un facteur d'unification qu'un facteur de division. Des immigrés qu'oppose leur nationalité peuvent en effet appartenir à la même religion. On voit certains prêtres irlandais et allemands essayer sans grand succès d'américaniser des catholiques italiens et polonais fraîchement arrivés, tout comme les Juifs allemands essaient d'acculturer les Juifs russes.

D'autre part, les hommes et les femmes d'une même nationalité peuvent être de religions différentes. Catholiques et luthériens allemands refusent de coopérer, et encore moins avec les quarante-huitards de leur propre pays. Enfin, parmi ceux qui ont la même nationalité et la même religion – les paroisses polonaises par exemple –, les querelles surviennent aussi : les «Slonzaki» (de Silésie) soutiennent qu'ils sont beaucoup plus fidèles à leur prêtre que les opiniâtres «Poznioniaki» (de Poznan).

Les divergences au sein d'un même groupe peuvent être d'ordre géographique, politique ou religieux, mais paradoxalement peut-être, elles ont abouti à une nouvelle définition de la communauté. N'est-ce pas en Amérique que se construisent des véritables identités «italienne», «polonaise» ou «juive», à mesure que Siciliens et Napolitains, «Slonzaki» et «Poznioniaki», ou «Galizianers» et «Litvaks» s'y implantent ?

L'Etat américain laisse à chaque religion le soin de s'occuper de ses fidèles. N'en privilégiant aucune, il en favorise la multiplicité. A gauche, caricature de Nast en 1871. A droite, sortie de synagogue à New York en 1911.

« L'Amérique est le creuset de Dieu, le melting pot où se fondent et se renouvellent toutes les races d'Europe ! »

Israel Zangwill, *The Melting Pot*, 1908

« L'Amérique, c'est l'Europe transplantée, mais ce n'est pas une Europe décomposée ou éclatée par la dispersion. Ses peuples vivent ici intimement mélangés sans pour autant être homogènes. Ils se mêlent sans se fondre. »

Randolph Bourne, «Trans-National America», 1918

CHAPITRE V
FERMETURES ET OUVERTURES LE MELTING POT REMIS EN QUESTION

Deux visions opposées du melting pot : le creuset américain (à gauche) ou une décharge publique (à droite).

Les premiers essais de limitation : «séparer le bon grain de l'ivraie»

Au pays de la porte ouverte, les réactions face à l'immigration commencent à changer à la fin du XIXe siècle. La volonté de freiner le mouvement migratoire n'est ni soudaine ni totale. Face au ralentissement du rythme de développement économique dû à la saturation de la Frontière et des usines, les pressions augmentent pour diminuer celui de l'immigration. A la même époque, de nombreux Américains se penchent sur la définition de l'Amérique en tant qu'amalgame de peuples. Cette préoccupation va se traduire entre autres par la mise au point progressive d'une politique de sélection des entrées.

En 1875, le Congrès interdit l'entrée des Etats-Unis aux prostituées et aux criminels. Une loi de 1882 ajoute à la liste des exclus les malades mentaux et tous ceux pouvant devenir une charge publique. Afin de prévenir les abus du système des *padroni*, le *Foran Act* de 1885 interdit le recrutement de travailleurs étrangers sous contrat. Puis en 1891, polygames, porteurs de maladies contagieuses et quiconque ayant été arrêté pour atteinte à la morale se voient également exclus.

Deux ans après l'assassinat du président McKinley en 1901, c'est le tour des anarchistes étrangers. Enfin, pour limiter

En 1890, la bataille de Wounded Knee, dernière des guerres indiennes, scelle la marginalisation des Américains autochtones (ci-contre, les survivants de Wounded Knee), tandis que les lois Jim Crow établissent une ségrégation de plus en plus sévère envers les Africains-Américains du Sud. A la fin du siècle, l'attitude de fermeture vis-à-vis de l'«autre» se généralise. Ci-dessous, une affiche appelant à limiter l'immigration.

RESTRICT

ALL

IMMIGRATION

PROTECT YOURSELF AND YOUR CHILDREN

AGAINST

Ruinous Labor and Business Competiti...

THROUGH

UNRESTRICTED IMMIGRATION.

le travail des enfants, en 1907 la loi interdit l'entrée aux enfants de moins de seize ans non accompagnés d'un de leurs parents.

1882 : le «Chinese Exclusion Act»

La classification des immigrants va se faire de plus en plus selon des critères de nationalité et de race. Les Chinois sont les premiers à ne plus pouvoir entrer. Venus d'abord à l'époque de la ruée vers l'or comme chercheurs indépendants en Californie, ils sont ensuite recrutés comme ouvriers des chantiers de construction des chemins de fer. En 1869, l'achèvement de la voie ferrée transcontinentale signifie le chômage pour des milliers de ces travailleurs chinois. Certains rentrent chez eux, mais beaucoup restent. Ils deviennent journaliers à la campagne ou s'installent dans les villes. En 1930, on comptera quelque 380 000 Chinois sur le continent et 46 000 à Hawaii.

A mesure que les Chinois rejoignent leur secteur économique, les mineurs des mines d'or, les travailleurs des chemins de fer, puis les ouvriers agricoles blancs se réfugient derrière un discours protectionniste. En 1882, le *Chinese Exclusion Act* interdit toute immigration chinoise en Amérique. C'est ainsi que Too Cheong, rentré en Chine en 1883 pour se marier, cherchera en vain à revenir aux Etats-

Tracts, pamphlets, caricatures, ouvrages ironisent ou s'indignent de la menace que fait peser l'immigration sur l'identité de l'Amérique. Ici, dessiné vers 1900, «Le Dernier Yankee», devenu objet de musée et de curiosité au XXe siècle.

Unis avec sa jeune
femme l'année suivante.
Ce qui devient l'«affaire
Ah Moy» (du nom de
sa femme) confirme que
les femmes chinoises n'ont
pas le droit de venir rejoindre leur mari.

«Gentlemen's agreement» avec le Japon

Pourtant les agriculteurs de la côte Ouest s'opposent
à ces restrictions : à peine voient-ils la source de
main-d'œuvre chinoise se tarir qu'ils se tournent vers
les travailleurs japonais. En 1890, les Japonais ne sont
que 2 000 aux Etats-Unis; en 1924, on en compte
180 000 sur le continent et 200 000 à Hawaii. Or les
exploitants agricoles japonais connaissent la réussite
et l'on commence à leur en vouloir. Mais le poids
croissant du Japon sur la scène internationale interdit
d'exclure ses citoyens de façon trop brutale. En 1907
et 1908, une série de notes, appelées *Gentlemen's
agreement*, est échangée entre les deux pays afin de
limiter l'immigration japonaise.

Différence essentielle pour la future communauté
japonaise, les femmes conservent le droit d'entrée.
Des centaines, voire des milliers de femmes japonaises
entreront ainsi aux Etats-Unis comme prostituées.

Dans les villes,
les Chinois ont
créé leurs propres
communautés.
En 1850,
dans le

Chinatown de San
Francisco, il y a déjà plus
de 30 bazars, 5 épiceries,
3 pensions, 5 boucheries
et 3 tailleurs. Ci-dessus,
la «Rue des Joueurs» à
San Francisco en 1896.

Elles seront plus nombreuses encore à venir comme *picture brides*, fiancées choisies sur photo : émigration comme devoir conjugal, ou mariage comme moyen d'émigrer.

L'exclusion des Chinois et des Japonais a des causes aussi bien racistes qu'économiques. Les Asiatiques à l'Ouest, comme les Africains-Américains dans le Sud, se verront accusés de provoquer le «suicide de la

race». A mesure que le mouvement restrictionniste s'étend à travers le pays, il varie de cible. Les Européens du Sud et de l'Est finiront par être visés et c'est en termes de race que l'on distinguera les «nouveaux» immigrants, méprisables, des «anciens», rassurants.

Xénophobie religieuse : anticatholicisme et antisémitisme

L'anticatholicisme est un phénomène persistant et récurrent au cours du XIXᵉ siècle. S'ils ne représentent que 1 % de la population en 1790, les catholiques passent à 7,5 % en 1850, formant alors la plus importante confession chrétienne. C'est à cette époque que des mouvements de réforme anticatholiques et xénophobes lancent des croisades de tempérance (visant les Irlandais et les Allemands qui boivent),

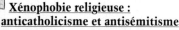

Le système des *picture brides* réserve parfois des surprises désagréables, ainsi que le relate une immigrée coréenne : «Je pleure pendant huit jours, et ne sors pas de ma chambre. Mais je savais que si je ne me mariais pas, je devais rentrer en Corée par le prochain bateau. Alors, au neuvième jour, je sortais et je me mariais. Mais je ne lui ai pas parlé pendant trois mois.» Ci-dessus, des *picture brides* japonaises se faisant vacciner à leur arrivée à San Francisco. A gauche, sur un dessin de Nast de 1880, la Columbia représentant les Etats-Unis protège un Chinois de la foule des Américains hostiles : «Barbares, esclaves, mangeurs de rats, vicieux, immoraux, idolâtres»... les qualificatifs injurieux ne sont pas épargnés.

cherchent à renforcer les lois interdisant toute activité le dimanche et engagent une véritable guerre contre les prêtres à propos du système scolaire public.

L'agitation culmine, dans les années 1850, lors des victoires électorales du parti nativiste *Know Nothing*. L'anticatholicisme s'estompe ensuite, puis réapparaît dans les années 1890 lorsque l'*American Protective Association* accuse les immigrés catholiques, soi-disant agents du pape, d'être à l'origine du chômage. Après un second répit, la crainte de conspirations catholiques reprend vers 1910. L'hebdomadaire *The Menace* assure que les émissaires du pape sont maintenant les immigrants italiens et non plus irlandais, ceux-ci s'américanisant trop vite.

L'antisémitisme se développe moins rapidement. Après le débarquement au XVIIe siècle, avec les Hollandais, de quelques Juifs séfarades, un nombre plus important d'ashkénazes arrivent d'Allemagne au milieu du XIXe siècle. Issus de classes moyennes et réformistes, ces Juifs allemands n'attirent aucune hostilité organisée particulière. L'antisémitisme ne devient un véritable problème qu'à la fin du siècle, lorsque émigrent les Juifs démunis d'Europe de l'Est. Dans le Nord, on accuse les tailleurs juifs d'être de dangereux radicaux ; dans le Sud, on vilipende les marchands et les capitalistes juifs, porteurs d'une modernité qui fait peur. Le cas le plus célèbre de violence attentée contre un Juif aux Etats-Unis est celui de Leo Frank, fils d'un riche Juif de New York, lynché en Géorgie en 1915 pour un viol et un meurtre qu'il nie avoir commis. Au début du XXe siècle, l'antisémitisme rejoint le courant anti-immigrants et des restrictions sur l'admission des Juifs dans

Les adeptes du *Know Nothing*, ainsi nommé à cause des activités secrètes de ses membres qui prétendent «ne rien savoir», veulent restreindre le droit de vote aux seuls Américains de souche.

certaines professions et à l'université sont mises en place. Dans son journal le *Dearborn Independent*, Henry Ford fustige «la mainmise des Juifs sur tout, du traité de Versailles au Tammany Hall et du base-ball au bolchevisme».

La peur des extrémistes de gauche

La xénophobie politique contribue aussi à entretenir des craintes d'ordre racial, religieux et économique. Après la vague de violence industrielle, menée par le groupe irlandais Molly Maguire qui déferle dans les mines de charbon de Pennsylvannie à la fin des années 1860 et au début des années 1870, les industriels et les hommes politiques américains se mettent à redouter la diffusion des idées trop radicales, par définition non américaines. Le journal new-yorkais le *Herald* explique ainsi les grèves dans les chemins de fer en 1877 comme un conflit provoqué par «des hommes incapables de comprendre

L'agitation anticatholique mêle le combat idéologique pour préserver l'école laïque (comme le montre la caricature page de gauche) et la lutte parfois brutale dans la rue. Ci-dessous, au cours d'une émeute à Philadelphie en 1844, des hommes portant des chapeaux hauts de forme attaquent la milice locale qui protège l'église. Vers la même époque, le roman anticatholique (et mensonger) de Maria Monk, *Terrifiantes Révélations sur le couvent de l'Hôtel-Dieu à Montréal*, connaît un vif succès.

nos idées et nos principes».
La conviction qu'il existe
un lien entre idées
étrangères et étrangers se
fait encore plus forte après
l'attentat à la bombe du
Haymarket à Chicago en
1886 : «Les forces ennemies
ne sont pas américaines,
ce sont ces vauriens et
ces gueux assassins qui
viennent du Rhin, du
Danube, de la Vistule et
de l'Elbe» puisque, en effet,
«un anarchiste américain
est un contresens en soi».
Après l'assassinat de
McKinley en 1901, les
anarchistes allemands,
russes et autres étrangers
sont placés sous haute
surveillance. Pendant la
Première Guerre mondiale
et dans l'immédiat après-
guerre, les membres de
l'IWW (*Industrial Workers
of the World*), syndicat
de tendance anarchiste,
deviennent la cible des
lynchages xénophobes
et antiradicaux. Après
la Révolution russe, une
véritable peur des «rouges»
naît aux Etats-Unis ; la

Red Scare est à son apogée en décembre 1919 et
janvier 1920, avec les arrestations massives menées
par le procureur général A. Mitchell Palmer : quelque
3 000 étrangers – essentiellement des Européens
de l'Est – sont arrêtés ; 500 seront expulsés.

Selon l'historien John Higham, les hauts et les bas
de ce mouvement nativiste raciste, anticatholique et
antiradical sont variables en fonction du sentiment de
confiance que l'Amérique a en elle-même : tant que

"Les ouvriers
américains, ayant
compris que des
extrémistes agissent
sous les traits du
mouvement ouvrier,
ont repris le travail. [...]
Seuls quelques étrangers
se sont laissé convaincre
par ces consignes
«non américaines».**"**

la confiance dans la capacité d'assimilation du rêve américain n'est pas ébranlée, les immigrants sont relativement bien acceptés ; à l'inverse, les périodes de crise de confiance engendrent une volonté d'établir des restrictions sur l'immigration. L'hostilité envers les nouveaux immigrants, qui naît dans les années 1880 et se développe dans les années 1890 dites «nationalistes», se traduit même par des vagues de violences sporadiques contre les Chinois, les Grecs, les Slaves et les Italiens. Suit une période de prospérité et de calme. Elle cédera à nouveau à la fièvre restrictionniste au cours des dix années précédant la Première Guerre mondiale.

L'américanisation

Qu'elles soient d'ordre religieux, politique ou culturel, les critiques vis-à-vis des nouveaux immigrés s'entremêlent tandis que s'élabore la définition d'une «américanité» originelle. La Première Guerre mondiale fait naître un américanisme tout-

L'Amérique a peur de ses immigrés quand ils vont à l'église catholique et surtout quand ils se mettent en grève. Au tournant du siècle, deux grands syndicats, très différents, se disputent le monde du travail : l'AFL (*American Federation of Labor*), déjà très américanisé, sera favorable à la restriction de l'immigration ; de leur côté, les «Wobblies» de l'IWW aideront plus particulièrement les ouvriers immigrés pendant la grande grève du textile à Lawrence, Massachusetts, en 1912 (à gauche, une grève dans les mines de Pennsylvanie en 1892). Ci-dessous, le patronat (en Oncle Sam) obligé de parler une multitude de langues

puissant qui cherche à oblitérer toute référence aux origines étrangères. Dans l'immédiat après-guerre, une vigoureuse campagne d'américanisation se met

pour inciter les ouvriers à reprendre le travail.

en place, qui va du cours d'anglais au rejet de légumes «étrangers», comme le chou, et cherche à établir certaines normes suivant lesquelles les immigrants pourraient devenir des Américains à part entière. Les progressistes mettent en œuvre tous les moyens, de l'assistance sociale aux études sociologiques, pour comprendre, sauver et assurer une assimilation harmonieuse des immigrants. Ailleurs, le Ku Klux Klan lance une violente croisade contre les Noirs, les catholiques et les Juifs.

L'américanisation passe d'abord par l'éducation, même dans les écoles les plus modestes.

Ce mouvement fervent d'américanisation commence à décliner à la fin des années 1920. C'est à cette époque qu'un procès en diffamation est intenté contre H. Ford pour antisémitisme ; l'influence du Ku Klux Klan diminue à partir de 1923. Au lieu d'essayer de transformer ceux qui semblent totalement inassimilables, les activistes anti-immigrés cherchent alors à les maintenir à l'écart.

«The Literacy Test»

Certains «WASPs» (*White Anglo-Saxon Protestant* – «Blancs protestants anglo-saxons») fanatiques et les racistes de toutes sortes ne sont pas les seuls à s'élever contre les nouveaux arrivants de la fin du XIXe siècle. Des dirigeants syndicaux ayant leur franc-

À l'intérieur même des frontières, les discriminations et les violences contre les Noirs continuent. Ci-dessus, répression contre les Noirs dans l'Illinois, en 1908.

parler, comme ceux de l'*American Federation of Labor*, et quelques leaders noirs plus discrets s'inquiètent devant la concurrence de cette main-d'œuvre bon marché et plaident en faveur de la protection des travailleurs américains.

Néanmoins il existe une résistance à la volonté de fermeture. Les restrictionnistes n'obtiendront d'abord qu'un moyen limité de freiner les entrées : le *Literacy Test* destiné à mesurer le niveau d'alphabétisation. Les présidents Cleveland, Taft et Wilson mettent successivement leur veto à cette législation exigeant que les immigrants sachent lire un texte de trente à quatre-vingts mots dans la langue de leur choix. Mais en 1917, le test finit par avoir raison du veto de Wilson.

A la fin du XIXᵉ siècle dernier, on compte moins de 5 % d'analphabètes parmi les Allemands, les Scandinaves, les Anglais et les Irlandais (c'est-à-dire les «anciens» immigrés) alors que 46,9 % des Italiens, 25,7 % des Juifs, 35,4 % des Polonais et 24,3 % des Slovaques ne savent pas lire. D'où l'intérêt des *Literacy Tests* comme moyen de discrimination.

La loi des quotas

Finalement, en 1921, est votée une loi limitant l'immigration selon des critères de nationalité, qui sont en fait des critères raciaux. La loi de 1921, qui passe également outre le veto de Wilson, définit l'immigration future, donc la population américaine future, en fonction de l'immigration passée. Pour chaque groupe national, seront admis 3 % du nombre des nationaux de ce groupe vivant aux Etats-Unis, dénombrés au recensement de 1910. Trois ans plus tard, le *Johnson-Reed Act* de 1924 revient sur ce pourcentage pour favoriser plus clairement encore les groupes d'immigrants les plus anciens. Seuls 2 %

de chaque groupe dénombré au recensement de 1890 – avant l'arrivée massive des «nouveaux» immigrants – seront admis. Ainsi, le quota annuel grec, qui s'élevait à 3 063 en 1921, tombe à 100 avec la loi de 1924. Pourtant, à force de pressions et de réajustements des chiffres, le quota grec remontera à 307. Plus significatif encore, on modifie les quotas des pays de vieille souche coloniale – Britanniques et Irlandais du Nord – pour les favoriser, et ceux des pays de l'immigration du XIXᵉ siècle – Allemands, Scandinaves et Irlandais du Sud – pour les défavoriser. Quant aux Japonais, ils sont maintenant totalement exclus.

Dès la fin de la décennie, les effets de la loi de 1924 sont évidents. Alors que 805 000 immigrants entrent

Pour les compagnies de navigation, l'instauration des premières lois des quotas en 1921 signifie la fin de la période de grande rentabilité. Dans un premier temps, dès la fin du mois, les paquebots se pressent dans les ports américains afin d'être présents à minuit pour profiter des nouveaux quotas du mois suivant. Malgré cela, beaucoup d'immigrés sont refoulés, comme ici en 1923.

aux Etats-Unis en 1921, seuls 242 000 sont admis en 1930. Comme prévu, l'immigration d'Europe orientale et méditerranéenne est profondément

touché : on passe de 98 000 Polonais en 1921 à 9 000 en 1930 et de 222 000 Italiens à 22 000. Désormais, les portes Est et Ouest de l'Amérique sont bel et bien verrouillées, sinon hermétiquement scellées. Mais les lois de 1921 et 1924 ont un effet pervers : elles

transforment les «nouveaux» immigrants honnis de la fin du siècle en «anciens» immigrants chéris. En outre, la législation des années 1920 transformera encore une fois la mosaïque américaine.

«Devenir américain»

A partir du moment où elles n'ont plus l'apport de sang neuf d'Europe, les communautés venues avant 1924 s'enracinent. Leurs journaux en langue étrangère tendent à disparaître. En 1940, 60 à 70 % des immigrants nés polonais, italiens ou russes sont désormais naturalisés américains. Leurs enfants sont citoyens américains de droit car ils sont nés sur le sol américain. Néanmoins tous ne forment pas une masse indifférenciée.

La féminisation des migrations

Jusqu'au début de ce siècle, la majorité des groupes d'immigrants comportait de 60 à 70 % d'hommes. Dans les années 1910, les projets de retour se transforment souvent en séjours prolongés et l'on économise pour pouvoir faire venir femmes et sœurs de l'Ancien Monde ; cette réunification des familles permet de retrouver un équilibre entre les sexes. Avec les quotas restrictifs des années 1920, puis la crise économique, le mouvement migratoire s'estompe, diminuant surtout l'immigration masculine. Depuis 1930, désormais

"Je déclare sous serment que je renonce et abjure absolument et entièrement toute allégeance et fidélité envers tout prince, potentat, Etat ou souveraineté dont j'ai été auparavant sujet ou citoyen ; que je soutiendrai et défendrai la constitution et les lois des Etats-Unis d'Amérique contre tout ennemi extérieur ou intérieur.**"**

Serment prêté par les nouveaux citoyens américains

"Messieurs, je revendique le fait d'être américain, bien qu'il se trouve que je sois né de l'autre côté de l'Océan.**"**

Discours allemand, 1864

plus de femmes que d'hommes entrent aux Etats-Unis chaque année.

Le changement des courants migratoires

En mettant un terme à l'immigration dans le sens est-ouest, les lois des quotas provoquent un mouvement inattendu du sud vers le nord. La porte d'entrée principale se ferme en 1924, mais les intérêts économiques maintiennent ouverte la «porte du fond» de l'hémisphère occidental, où les quotas ne s'appliquent pas.

Dans le Sud-Ouest en particulier, les employeurs comptent de plus en plus sur les travailleurs venant de l'autre rive du Rio Grande. Avant d'être reclassés comme étrangers après la conquête, les Mexicains étaient, comme les Indiens d'Amérique, les premiers habitants de cette partie du pays. Entre 1899 et 1914, environ 280 000 Mexicains entrent aux Etats-Unis ; 500 000 de plus arrivent dans les années 1920, alors que l'immigration européenne est interrompue. En 1930, ils forment la minorité la plus importante de Californie et la seconde du Texas. Beaucoup sont rapatriés pendant la Grande Dépression,

"Moi, je me plais en America, / Tout va bien pour moi en America, / Tout est gratuit en America. / – Comment ça «gratuit» en America?"
West Side Story, 1961

mais ils reviennent en force entre 1950 et 1970, années de la prospérité. Aujourd'hui, Mexicains et Mexicano-Américains représentent 60 % de la minorité hispanique des Etats-Unis.

Les quotas alimentent également un autre mouvement du Sud vers le Nord : le mouvement de migration interne du Sud agricole vers le Nord industriel des Noirs et des Portoricains (citoyens américains depuis le *Jones Act* de 1917). Cette redistribution géographique de la main-d'œuvre a en fait commencé avant même que l'on coupe court à l'immigration européenne, car elle correspond aux besoins du marché du travail (en particulier pendant les deux guerres mondiales) et à l'évolution des économies du Sud et de Porto Rico. Les quotas imposés à l'immigration européenne vont renforcer ce mouvement. Entre 1890 et 1930, quelque 2 millions d'Africains-Américains se déplacent vers le Nord et 1,6 million d'entre eux quittent le Sud dans les années 1940. Le Harlem juif devient le Harlem noir dans les années 1920, tandis que East Harlem devient «El Barrio». Le mouvement migratoire des Portoricains vers la côte Est s'accélère plus tard, dans les années 1950 et 1960 surtout. Enfin, à mesure que les Portoricains se déplacent vers l'Ouest et les Mexicains vers l'Est, les deux *barrios* hispaniques finissent par se retrouver à Chicago.

L également et clandestinement, parfois au risque de la vie ou de la liberté, des immigrés traversent la frontière entre le Mexique et les Etats-Unis (au centre). Avec ou sans papiers, ils constituent une force de travail appréciée des propriétaires agricoles du Sud-Ouest (ci-dessus). A la fin des années 1960, le militant César Chavez fonde un syndicat des travailleurs agricoles, le *United Farm Workers*, et organise des boycotts contre certains vignobles.

D ans *West Side Story*, comédie musicale de Stephen Sondheim et Leonard Bernstein, les jeunes Italiens et Portoricains s'affrontent (en bas, à gauche).

Peuples alliés ou peuples ennemis : la Seconde Guerre mondiale et les lois sur l'immigration

Après le bombardement de Pearl Harbour, 120 000 Japonais vivant sur la côte Ouest (dont les deux tiers sont citoyens américains de naissance) sont arrêtés, marqués et internés dans des camps. On envisagera des mesures similaires pour les Allemands et les Italiens, mais elles ne seront jamais appliquées. Vis-à-vis des Chinois dont le pays devient un allié, les attitudes évoluent en revanche considérablement. Le magazine *Time* publie même un article expliquant comment distinguer les amis chinois des ennemis japonais. Le *Chinese Exclusion Act* est abrogé en 1943.

Après la guerre, le *Displaced Persons Act* de 1948 permet, après des débats houleux, l'entrée de 400 000 personnes de plus que le quota annuel. Mais les victimes de guerre ainsi admises seront hypothéquées sur les quotas des années à venir. Cette entorse à la règle fait espérer l'abandon du système fondé sur les origines nationales. Mais le *McCarran-Walter Act* de 1952 confirme l'esprit des lois sur l'immigration : réguler l'afflux et contrôler sa composition ethnique.

Les Japonais américains sont arrêtés en 1942, déplacés et internés dans des baraquements à l'intérieur de camps (ci-dessus). Ils devront attendre 1988 pour des excuses officielles. Une loi attribuera une indemnité de 20 000 dollars par personne aux survivants.

Les quotas sont maintenus et, en 1965, quelque 250 000 Italiens et 98 000 Grecs font toujours la queue pour être admis.

La «loi des frères et sœurs» et les migrations du Pacifique

C'est en 1965 seulement qu'est aboli le système fondé sur les origines nationales. La composition de la population des Etats-Unis change alors très sensiblement. Les amendements Kennedy-Johnson, votés cette année-là et surnommés «loi des frères et sœurs», modifient la loi McCarran-Walter en accordant la priorité aux membres proches de la famille. Un plafond annuel est fixé pour chaque hémisphère : 170 000 pour l'hémisphère oriental, (chaque pays étant limité à 20 000), 120 000 pour l'hémisphère occidental (chaque pays étant aussi limité à 20 000 à partir de 1976). La famille immédiate est admise à entrer en dehors de ces limites.

Les effets de cette loi sont totalement inattendus : les immigrants de l'hémisphère oriental se mettent à franchir le Pacifique en nombre insoupçonné. Personne n'avait imaginé que les Asiatiques auraient autant de frères et de sœurs ! Alors que la première vague d'immigration asiatique avait amené 1 million de Chinois, Japonais, Philippins, Coréens et Indiens

Deux grands changements marquent l'histoire de l'émigration au XXe siècle. D'une part, on émigre plus pour des raisons politiques que pour des raisons économiques. Et les réfugiés politiques des pays communistes seront accueillis aux Etats-Unis en dehors des quotas (ci-dessous, des Hongrois atterrissent à la base aérienne militaire de McGuire en 1956). Dans le même temps, l'avion remplace de plus en plus le bateau comme moyen de transport des émigrés. Mais pistes et aéroports internationaux n'engendreront pas le même imaginaire iconographique que l'immigration sur les paquebots du XIXe siècle.

L'Amérique sera multilingue ou ne sera pas. Sur cette pancarte : «Nous parlons français, italien, allemand, juif, espagnol, slave, japonais et... toutes sortes d'anglais.»

d'Asie entre 1849 et 1924, il en débarque 3,5 millions dans les deux décennies suivant la loi de 1965.

Enfin, en 1986, une loi permet la régularisation de nombreux immigrés clandestins ; en 1990, une nouvelle loi apporte trois changements notables. En pleine période de crise, le nombre d'immigrés potentiels est porté de 540 000 à 700 000 par an (avec une préférence accordée aux Européens et aux Africains pour rééquilibrer la tendance asiatique-hispanique). La priorité est donnée non plus aux familles mais aux travailleurs qualifiés. Et les interdictions en vigueur contre les communistes et les «déviants sexuels» sont levées.

Et le vieux melting pot?

L'expression *melting pot* (littéralement «creuset») est forgée en 1908 d'après le titre d'une pièce d'Israël Zangwill où la victoire de l'amour symbolise celle remportée dans le Nouveau Monde sur les haines européennes ancestrales. Simple raccourci pour désigner un pays d'immigrants à la population très variée, le terme de *melting pot* sert aussi à célébrer une fusion harmonieuse. Mais dans la bouche des opposants à l'immigration, il sous-entend une menace pour l'américanisation et dans celle des défenseurs, il s'agit d'une atteinte à l'identité d'immigrant.

La Seconde Guerre mondiale et les quinze années qui suivent sont à nouveau une période de relatif consensus et d'américanisation passive. Les enfants

We Speak:
- FRENCH
- ITALIAN
- GERMAN
- JEWISH
- SPANISH
- SLAVIC
- JAPANESE

de la deuxième génération, tous passés par le même système scolaire, n'ont plus que de vagues notions de leurs différences et s'intéressent peu aux problèmes ethniques.

La renaissance des consciences ethniques, symbole ou folklore?

C'est au milieu des années 1960 que les identités ethniques reviennent à la mode. On redécouvre le «pluralisme culturel» d'Horace Kallen et l'«Amérique transnationale» de Randolph Bourne. Plusieurs livres réaffirment l'identité des minorités aux Etats-Unis. Deux ouvrages – *Beyond the Melting Pot* de Nathan Glazer et Daniel Patrick Moynihan, paru en 1963, et *Rise of the Unmeltable Ethnics*, l'ouvrage plus polémique de Michael Novak publié en 1971 – renouvellent la critique contre l'interprétation littérale du melting pot. Dans *Roots* (*Racines*), un livre qui parlera pour toute une génération à la recherche de ses origines outre-mer, Alex Haley remonte à ses origines africaines. Les programmes

❝Quel rapport y a-t-il entre un Français de la Louisiane, un Espagnol des Florides, un Allemand de New York, un Anglais de la Nouvelle-Angleterre, de la Virginie, de la Caroline, de la Géorgie, tous réputés Américains? Celui-là léger et duelliste; celui-là catholique, paresseux et superbe, celui-là luthérien, laboureur et sans esclaves; celui-là anglican et planteur avec des Nègres; celui-là puritain et négociant; combien faudra-t-il de siècles pour rendre ces éléments homogènes!❞
Chateaubriand,
Mémoires d'outre-tombe

Cérémonie d'accès à la citoyenneté en 1986 (en haut et en bas), où 1 566 nouveaux Américains prêtent serment. Page de gauche, en haut, arrivée d'immigrés asiatiques vers 1925.

公用電話 公用電話 公用電話

universitaires d'études juives suivront le sillon tracé par les revendications des Africains-Américains pour les départements de *Black studies*. A la fin des années 1960 et au cours des années 1970, cette renaissance ethnique définit à nouveau l'histoire des Etats-Unis comme l'histoire des immigrations.

Aujourd'hui le melting pot n'est plus une métaphore adéquate pour comprendre l'histoire et le destin des immigrants aux Etats-Unis, mais en existe-t-il un substitut ? On parle de *salad bowl*, salade composée ou ragoût à l'américaine ? Mais les questions subsistent. La conscience ethnique est-elle destinée à survivre ? Et la renaissance ethnique n'est-elle qu'un mythe dont les *bagels*, pizzas et défilés annuels sont les dernières manifestations d'identités affaiblies, réduites à leur plus simple expression gastronomique ou folklorique ? Les appels au recentrage de l'éducation américaine autour des grands classiques européens permettront-ils une nouvelle redéfinition de

Les nouveaux Américains sont dominicains, coréens, cubains, mexicains, chinois… (ci-dessus, les cabines téléphoniques dans le Chinatown de New York). Ils s'expriment à travers l'art mural. Dans son *Panamerican Mural*, au City College de San Francisco, le peintre mexicain Diego Rivera a mis en scène l'unité Nord-Sud. Les présidents Washington et Lincoln y figurent au même titre que les potiers mexicains (à droite). Ci-dessous, une fresque populaire dans l'East Bronx.

l'américanité, ou le multiculturalisme triomphera-t-il? Conscience nationale américaine et identité ethnique sont deux idéologies rivales qui ont coexisté, avec des hauts et des bas, depuis deux siècles. Le «rêve américain» essaie seul de les synthétiser.

Le dernier mot revient aux immigrants. La majorité est plus que reconnaissante d'avoir quitté misère et privation, même si certains ne peuvent se défaire d'une nostalgie permanente. Certains retrouvent «leur» Norvège dans le Nouveau Monde, d'autres idéalisent le monde qu'ils ont perdu. Comme le remarquait un homme d'église norvégien au XIXᵉ siècle : «Nous connaissons la richesse de deux cultures et souvent la pauvreté de celui qui erre dans le désert. Nous vivons entre mémoire et réalité.»

Les Américains ne sauraient prononcer l'anathème contre l'immigration : ce serait renier tout leur passé.
Emile Levasseur,
L'Ouvrier américain,
1898

TÉMOIGNAGES
ET DOCUMENTS

Témoignages, récits, mémoires, prises de position
pour l'insertion ou l'exclusion : les textes présentés ici ont été écrits
par des acteurs et des observateurs de l'« époque historique »
de l'immigration aux Etats-Unis.

Premiers contacts

*L'arrivée dans le
Nouveau Monde signifie
la confrontation du monde
imaginaire de l'émigration
avec sa réalité et souvent
la déception. Mais
les premiers instants,
à Ellis Island, ou ailleurs,
donnent également lieu
à d'émouvantes scènes
de retrouvailles familiales.*

L a dernière étape, d'Ellis Island
à Manhattan.

« La joie des retrouvailles »

C'était une radieuse matinée. Nous
étions le 8 mai, dix-septième jour après
notre départ de Hambourg. Dans le ciel
clair et bleu, le soleil brillait avec éclat,
comme pour nous congratuler d'avoir
traversé sans encombre l'océan
tumultueux, et s'excuser de nous avoir si
longtemps délaissés. La mer avait perdu
sa fureur ; presque aussi paisible qu'à
Hambourg avant notre départ, elle était
d'un splendide bleu vert. Des oiseaux
traversaient continuellement l'air, et
leurs chants à eux seuls rendaient la vie
digne d'être vécue. Et bientôt, ô joie !
nous apercevions la cime de deux arbres !

Quelle clameur s'élevait alors ! Tous
se montraient du doigt l'heureuse vision,
comme si les autres ne la voyaient pas.
Tous les yeux étaient fixés sur elle,
comme s'ils contemplaient un miracle.
Et les joies du jour ne faisaient que
commencer !

Quelle pagaille ! Certains grimpaient
quatre à quatre les escaliers pour
rejoindre le pont supérieur, d'autres
les dévalaient vers l'entrepont, d'autres
encore entraient, sortaient en courant
des cabines ou se montraient aux quatre

coins du bateau en l'espace d'une minute ; tout le monde parlait, riait, se trouvait sur le passage de quelqu'un d'autre. Quel enthousiasme, quelle joie ! Nous avions vu deux arbres ! [...]

Avant même l'arrêt complet du bateau, notre joie atteignait son paroxysme. L'un d'entre nous avait repéré la silhouette et le visage que nous brûlions de revoir depuis trois ans. En un instant, cinq passagers du *Polynesia*, perdant complètement la tête, se mettaient à hurler « Papa ! », à gesticuler, à rire et à s'étreindre mutuellement. Les autres, stimulés par notre enthousiasme, s'approchaient pour voir notre père. Il nous avait reconnus en même temps que nous, et se tenait à l'écart sur le quai sans trop savoir que faire, me sembla-t-il.

Ce qui a suivi a été une lente torture. Comme des fous, nous courions en tous sens, incapables de tenir en place aussi longtemps que nous restions à bord, et lui sur le quai. Avoir traversé l'océan pour être bloqués à quelques mètres de lui, incapables de le rejoindre avant la fin des formalités, était déjà horrible. Mais entendre appeler des passagers qui n'avaient aucune raison d'être pressés, pendant que nous restions parmi les derniers, voilà qui était proprement insupportable.

Mon Dieu ! Pourquoi ne nous laisse-t-on pas quitter cet affreux bateau ? Pourquoi papa ne peut-il pas nous rejoindre ? Pourquoi tant de cérémonies ?

Nous faisions nos adieux à nos amis quand venait leur tour, tout en regrettant de n'être pas à leur place. Pour nous changer les idées, papa avait réussi à nous passer quelques fruits ; et nous nous étonnions de les trouver très ordinaires, car nous nous attendions à tout trouver merveilleux dans ce pays étranger.

Les formalités suivaient toujours leur cours. Chaque passager se voyait poser une centaine de questions idiotes, dont toutes les réponses étaient couchées sur le papier par un homme extraordinairement lent. Chacun devait présenter ses bagages, son billet, et faire cent autres choses avant d'être autorisé à fouler la terre ferme, le tout pour nous retenir à bord le plus longtemps possible. A présent, imaginez-vous quittant tout ce que vous aimez, dans l'idée que c'est pour toujours ; dépeçant votre foyer en vendant tout ce que les années vous avaient rendu cher ; entreprenant une traversée sans la moindre expérience du voyage, confronté aux désagréments du manque d'argent, à des déboires que vous n'attendiez pas ; rencontrant partout un rude traitement, qui vous contraint à rechercher l'amitié d'étrangers ; forcé de vendre certains de vos biens les plus chers pour régler des dettes que vous n'avez pas contractées volontairement ; suspecté, fouillé, puis à demi affamé et entassé avec une multitude d'inconnus ; endurant pendant seize jours les souffrances du mal de mer, le tumulte et les frayeurs soulevés par une mer en furie ; et ensuite, imaginez-vous immobilisé à quelques mètres de celui pour qui vous avez supporté tout cela, incapable ne serait-ce que de lui parler. Comment vous sentez-vous ?

Enfin, c'est notre tour ! Nous sommes interrogés, examinés, libérés ! Au terme d'une course précipitée, d'un côté sur les planches du pont, de l'autre sur la terre ferme, six êtres fous d'allégresse s'agglutinent les uns aux autres, unis par une tendre joie, et la longue séparation touche à sa FIN.

Mary Antin,
récit écrit en 1894 à l'âge de treize ans,
publié postérieurement sous le titre
From Plotzk to Boston,
Markus Wiener, New York, 1986

Retrouvailles difficiles

Le *Peter Stuyvesant*, petit paquebot blanc qui transférait les immigrants du vacarme et de la puanteur de l'entrepont au vacarme et à la puanteur des taudis new-yorkais, roulait doucement le long du quai de pierre, à l'abri des baraques lézardées et des nouveaux bâtiments en briques d'Ellis Island. [...]

On était au mois de mai de l'année 1907, au cours de laquelle les côtes des Etats-Unis allaient connaître leur plus grand afflux d'immigrants. Toute la journée, comme tous les jours depuis le début de ce printemps, des centaines d'étrangers, originaires d'à peu près tous les pays du monde, avaient encombré les ponts du *Peter Stuyvesant;* des Teutons mafflus aux cheveux coupés ras, des Russes barbus, des Juifs à papillotes, et parmi eux, des paysans slovaques au visage placide, des Arméniens glabres et basanés, des Grecs boutonneux et des Danois aux paupières ridées. Toute la journée, les ponts avaient offert l'aspect d'un creuset dans lequel se mêlaient les costumes haut en couleur d'autres pays : tabliers tachetés de vert et de jaune, fichus à fleurs, vêtements tissés à la main et brodés, vestes en peau de mouton rehaussées d'argent, bonnets de fourrure, caftans et gabardines aux coloris neutres. Toute la journée, des voix gutturales et aiguës, des cris d'étonnement, des exclamations émerveillées, des assurances de joie s'étaient élevés du navire en un brouhaha confus. Mais à présent, ses ponts étaient calmes et déserts. Etendues au soleil, les planches tièdes semblaient se reposer du frottement et de la pression que leur avaient fait subir des myriades de pieds. Tous les passagers de l'entrepont qui avaient débarqué ce jour-là et avaient reçu l'autorisation du bureau d'immigration étaient déjà entrés dans le pays, tous, sauf deux d'entre eux : une femme et un enfant qu'elle portait sur le bras. Ceux-ci venaient de monter à bord en compagnie d'un homme.

L'aspect de ces retardataires n'offrait rien de très particulier. De toute évidence, l'homme avait déjà vécu quelque temps en Amérique et faisait venir à présent sa femme et son enfant. On eût dit qu'il avait passé la plus grande partie de son séjour dans le bas New York, car il ne prêta que fort peu d'attention à la statue de la Liberté, à la ville s'élevant au-dessus de l'eau et aux ponts enjambant l'East River. Ou peut-être était-il simplement trop bouleversé pour perdre beaucoup de temps à contempler ces merveilles. Il était vêtu sobrement, à la mode new-yorkaise de l'époque. Un chapeau melon noir accentuait les traits aigus et la pâleur, due à une vie sédentaire, de son visage; flottant un peu sur sa longue charpente osseuse, son veston, boutonné très haut, formait une encolure en V; au-dessus de ce V, entre les pointes d'un grand col dur, on apercevait le nœud serré d'une cravate noire. Quant à sa femme, on la devinait européenne plus à cause des regards timides et étonnés qu'elle portait tantôt sur son mari, tantôt sur le port, qu'à cause de ses vêtements. Ceux-ci, en effet, étaient américains : un chemisier blanc, une jupe et une veste noires. Sans aucun doute, son mari avait pris la précaution soit de les lui envoyer avant qu'elle ne quitte l'Europe, soit de les lui apporter à Ellis Island, où elle les avait enfilés avant de monter à bord. [...]

C'est qu'il y avait en effet quelque chose de très inhabituel dans leur attitude. La marchande et les deux hommes en salopette avaient assisté à trop de rencontres entre maris, femmes et enfants après une longue absence, pour ne pas savoir comment ceux-ci devaient se comporter en pareille circonstance. Les races les plus vives, comme les Italiens, dansaient souvent de joie, se faisaient tourner l'un l'autre comme une toupie, pirouettaient d'un air extasié ; les Suédois se contentaient parfois de se regarder en respirant la bouche ouverte, comme des chiens pantelants ; les Juifs pleuraient, jacassaient, et se crevaient presque mutuellement les yeux à force de grands gestes désordonnés ; les Polonais hurlaient et s'agrippaient à bout de bras, avec une telle violence qu'on eût dit qu'ils allaient s'entre-déchirer ; quant aux Anglais, après un premier baiser furtif, ils s'acheminaient avec lenteur vers une étreinte, sans jamais sembler y parvenir. Mais ces deux-là restaient debout, silencieux et distants. L'homme contemplait l'eau d'un air sombre et, s'il se tournait vers sa femme, ce n'était que pour fixer avec une expression de féroce dédain le chapeau de paille bleue de l'enfant ; puis ses yeux hostiles parcouraient le pont pour voir si quelqu'un les observait. A ses côtés, sa femme lui lançait des regards inquiets et suppliants. Quant aux yeux de l'enfant blotti contre la poitrine de sa mère, ils viraient de l'un à l'autre, attentifs et apeurés. Somme toute, c'était des retrouvailles assez curieuses.

Ils étaient restés debout ainsi, étrangement silencieux, pendant plusieurs minutes, quand la femme, mue par un besoin d'action, esquissa un sourire, et touchant le bras de son mari, dit timidement : « Et ceci est le pays de l'or. » Elle parlait en yiddish.

Pour toute réponse, l'homme émit un grognement.

Elle prit sa respiration comme pour se donner du courage et dit d'une voix tremblante :

– Albert, je suis désolée de m'être montrée aussi stupide…

Elle s'interrompit, attendant quelque marque de sympathie, quelque mot qui ne vint pas.

– Mais tu es si maigre, Albert, si décharné. Et ta moustache, tu l'as rasée.

Il lui lança un regard perçant, puis détourna les yeux.

– Et alors ?

– Tu as dû souffrir dans ce pays, poursuivit-elle malgré la rebuffade. Tu ne m'en as jamais parlé dans tes lettres. Tu es maigre. Ach ! Il y a donc la même vieille misère dans ce pays neuf… Tu as eu faim. Je le vois. Tu as changé.

– Ça, ça n'a pas d'importance, répliqua-t-il d'un ton sec, repoussant sa sollicitude. Ce n'est pas une excuse pour ne pas me reconnaître. Qui d'autre serait venu vous chercher ? Connais-tu quelqu'un d'autre dans ce pays ?

– Non, répondit-elle conciliante. Mais j'avais tellement peur, Albert. Comprends-moi. J'étais si bouleversée, et cette longue attente, depuis ce matin, dans cette grande salle, qui durait, j'étais complètement perdue ! Oh ! cette horrible attente ! Je les ai vus partir, l'un après l'autre. Le cordonnier et sa femme. Le chaudronnier de Strij et ses enfants. Tous ceux de la *Kaiserin Viktoria*. Moi, j'étais la seule à rester. Demain, c'est dimanche. Et ils m'ont dit que personne ne viendrait me chercher. Et s'ils me renvoyaient ? Je devenais folle !

– Est-ce de ma faute ? demanda-t-il d'une voix menaçante.

– Non ! Non ! Bien sûr que non, Albert ! Je voulais seulement m'expliquer.

Henry Roth,
L'Or de la Terre promise [1934],
Grasset, 1989

Le « ghetto »
des immigrants

*Les premiers quartiers
pour immigrants sont
à la fois des tours de Babel
hétérogènes et des lieux
où les immigrants se
regroupent selon leur
nationalité, par immeubles
et blocs d'immeubles.*

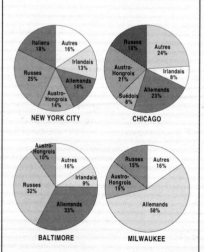

Les groupes immigrants dans quatre
grandes villes américaines en 1910.
Source : P. Taylor, *The Distant Magnet*, 1972.

« Une foule hétéroclite »

J'ai un jour interrogé la gérante d'un
ensemble de logements bien connu de la
Quatrième Circonscription pour savoir
combien de personnes y vivaient. Cent
quarante familles, m'a-t-elle répondu,
dont cent irlandaises, trente-huit
italiennes, et deux de langue allemande.
A l'exception de la gérante elle-même,
l'impasse n'abritait pas un seul
autochtone. Cette réponse illustrait
parfaitement le caractère cosmopolite
du sud de New York, voire de la ville
en général, du moins en ce qui concerne
les ruelles et les impasses. Il n'y a qu'à
demander pour dénicher une colonie
italienne, allemande, française, africaine,
espagnole, russe, scandinave, juive,
chinoise ou de Bohême. L'Arabe lui-
même, qui vend la « terre sainte » à la
Battery comme si elle était directement
importée de Jérusalem, dispose de son
territoire exclusif dans la partie sud de
Washington Street. La seule chose qu'on
chercherait en vain dans la plus grande
ville d'Amérique est une communauté
distinctement américaine : il n'y en a pas,
du moins dans les quartiers populaires.
Où sont donc passés tous leurs anciens
habitants ? J'ai posé la question à
quelqu'un dont je pouvais honnêtement
présumer qu'il était du nombre, l'ayant
trouvé soupirant sur « le bon vieux
temps » où la mention « Irlandais
s'abstenir » était chose courante dans
les petites annonces de la presse. Il m'a
regardé d'un air perplexe. « Je n'en sais
rien, m'a-t-il répondu. Et j'aimerais
bien le savoir. Certains sont partis
en Californie en 49, d'autres à la guerre,
et ils ne sont jamais revenus. Le reste,
j'imagine, est au paradis ou ailleurs.
Je ne les vois plus dans le coin. »

Quelle que soit la valeur des
conjectures de ce brave homme, ses yeux

ne l'avaient pas trahi. Ils ne sont plus là. Ils ont été remplacés par ce singulier conglomérat d'éléments hétéroclites qui tendent toujours à se comporter comme le whisky et l'eau dans le même verre, avec un résultat final semblable : un mélange, où domine la couleur du whisky. L'Irlandais autrefois indésirable a été suivi par l'Italien, le Juif russe et le Chinois, et lui-même s'est piqué de s'opposer, toujours aussi rancunier et velléitaire, à ces hordes ultérieures. Là où elles sont arrivées, celles-ci l'ont évincé en s'abattant sur le pâté de maisons, la rue, puis le quartier en essaims toujours plus denses. Cependant, la revanche de l'Irlandais est complète. Victorieux dans la défaite face à ses anciens et nouveaux ennemis – ceux qui ont combattu sa venue et ceux qui l'ont délogé –, il leur dicte maintenant sa loi à tous et, solidement implanté dans l'administration, rend la politesse à l'autochtone avec intérêt et principal, tout en récoltant le loyer des Italiens dont il a acheté le logement grâce aux bénéfices de son bistrot. [...]

Guère moins agressif que l'Italien, le Juif russe ou polonais, ayant envahi jusqu'à saturation le quartier situé entre Rivington et Division Streets, à l'est du Bowery, prend peu à peu possession des bâtisses de la vieille Septième Circonscription jusqu'au fleuve, et dispute à l'Italien chaque mètre carré d'espace disponible dans les allées de Mulberry Street. Les deux races, bien que séparées par d'insurmontables différences, ont néanmoins ceci en commun qu'elles importent leurs taudis où qu'elles aillent si on les laisse faire. Little Italy rivalise déjà en insalubrité avec le « Bend », son parent, tandis que d'autres nationalités, parties de rien, prennent un nouveau départ en s'empilant sur les degrés de l'échelle

sociale. Or, ces deux-là sont heureusement gouvernables, l'une par les lois rabbiniques, l'autre par les lois civiles. Comprimée sur le plan de la ville entre le gris sombre des Juifs – leur couleur favorite – et le rouge italien, on pourrait presque discerner l'éclatante bande jaune qui marque l'étroit territoire de Chinatown. Géographiquement imbriqué à la communauté allemande, luttant contre un destin contraire dans l'énorme ruche humaine de l'East Side, l'immigrant de Bohême, pauvre mais économe, est reconnaissable à la mélancolie de sa vie et de sa philosophie. Sa colonie se déploie vers le nord sur plus de cinq kilomètres, avec d'importantes coupures, à partir du Cooper Institute. Il est le seul, parmi les étrangers abondamment représentés en ville, à ne compter aucun riche parmi les siens, personne qui ne doive travailler dur pour survivre ou qui ait réussi à quitter les quartiers pauvres.

Jacob Riis,
How the Other Half Lives,
Charles Scribner's Sons, New York, 1890

« Les Juifs et leurs voisins »

La quasi-totalité des groupes d'immigrants arrivant à Chicago se sont installés dans le proche West Side. L'arrivée des Juifs n'est, semble-t-il, qu'une phase transitoire s'inscrivant dans une longue succession, selon laquelle chaque groupe finit par être évincé par un autre. Ce processus semble plus régulier qu'il n'y paraît à première vue. Dans sa description des quartiers étrangers de New York, un écrivain a souligné la cohésion constante de certains groupes raciaux et culturels lorsque la communauté se trouvait en phase de transition. Toutes les grandes villes donnent lieu à un tamisage permanent par lequel chaque groupe racial, national ou culturel tend à s'implanter dans les diverses zones naturelles de la ville. Il a par ailleurs été remarqué que les nombreuses colonies d'immigrants de la ville de New York paraissent avoir adopté une distribution géographique qui reproduit celle de leurs mères patries sur la carte de l'Europe. Même s'il est impossible d'en dire tout à fait autant de Chicago, une incontestable régularité se manifeste dans les rapports entre groupes d'immigrants, notamment en ce qui concerne les Juifs et leurs voisins.

Les premiers immigrants juifs du proche West Side venaient essentiellement de Bohême. De façon prévisible, ils s'établirent dans la partie de la ville qui leur était accessible sur le plan des loyers, des transports et de la tolérance. Mais s'ils se regroupèrent surtout dans la partie de la ville qui s'étend au-delà du quartier central des affaires – laquelle était occupée par des immigrants tchèques –, c'est très probablement parce qu'ils étaient habitués à les côtoyer sur le vieux continent, parce qu'ils connaissaient leur langue et parce qu'ils avaient établi avec eux un *modus vivendi* impliquant notamment une tolérance mutuelle et, plus important encore, des relations commerciales. Les Juifs faisaient du colportage et ouvrirent boutique parmi les Tchèques, et prospérèrent. La pose d'une voie de chemin de fer sur la Quinzième Rue coupa le quartier en deux ; les Tchèques glissèrent vers le sud à mesure que la ville s'étendait dans cette direction, attirés par la naissance des complexes industriels, tandis que les Juifs, eux, restaient sur place et étendaient leur zone de peuplement vers l'ouest et le nord.

Au cours de leur expansion géographique, les Juifs rencontrèrent les Irlandais et les Allemands. Quand ces groupes se déplacèrent à leur tour, les Juifs suivirent le mouvement, cédant leur place aux Italiens, aux Polonais et Lituaniens, aux Grecs et Turcs, et finalement aux Noirs. Des observations semblables ont été faites au sujet d'autres grandes villes américaines, notamment New York et Philadelphie, et suggèrent un ordre de succession similaire. Ce phénomène semble dû non seulement à l'ordre chronologique d'arrivée de ces divers groupes, mais aussi à la compatibilité des modes de vie, aux relations de chaque nationalité avec les autres, à la tolérance, ainsi qu'à la force d'attraction exercée par chaque prédécesseur sur son successeur. Au gré de ces divers mouvements, le West Side a perdu son aspect de faubourg de village pionnier ayant grandi trop vite, pour se transformer en quartier déshérité typique d'une grande ville.

Louis Wirth,
The Ghetto,
University of Chicago Press, 1928

« Le ghetto en voie d'extinction »

« Partons en Amérique, dit à sa femme un Juif de Kiev qui venait de perdre sa fortune dans un pogrom. Quittons ce lieu maudit où les gens sont des bêtes. Allons en Amérique, où le ghetto et les pogroms n'existent pas, et où même les Juifs sont des hommes. »

Il vint, mais échoua dans le ghetto. Il mit du temps à s'apercevoir qu'il s'agissait d'un ghetto ; il lui fallut vingt ans pour découvrir que son appartement de Jefferson Street, tout près de Roosevelt Road, où il venait de passer un tiers de son existence, était à deux pas du cœur du ghetto. Il était devenu citoyen, il avait voté aux élections ; il possédait un

L ower East Side à New York, un quartier où
beaucoup d'immigrants juifs s'installèrent.

commerce sur Jefferson Street et avait
accumulé une confortable fortune. Il avait
laissé pousser sa barbe et se rendait à
la synagogue, comme à Kiev. Sa femme
tenait une maison casher, et il avait élevé
son fils en lui apprenant à jouer aux
échecs et à commenter le Talmud. Jamais
il n'avait songé qu'il pût y avoir un ghetto
en Amérique, et encore moins à Chicago.

Il découvrit le ghetto tout à fait
accidentellement, et cette découverte le
bouleversa au-delà de toute description.
Son monde s'effondra brusquement un
vendredi soir après le souper, lorsque son
fils aîné déclara qu'il était temps pour la
famille de quitter le ghetto, d'abord parce
qu'elle en avait les moyens, mais aussi
parce qu'il allait commencer son droit
et qu'il aimerait pouvoir inviter ses
nouveaux amis à la maison. « Le ghetto !
s'écria le père. Mais tu divagues ! Les

autres auraient-ils quelque chose que
nous n'avons pas ? Cet appartement
ne te plaît-il pas ? Le mobilier n'est-il
pas à ton goût ? Trouverais-tu que nous
ne vivons pas assez bien ? »

Cette nuit-là, le vieil homme ne
parvint pas à trouver le sommeil ; et le
lendemain matin à la synagogue, il se
montra quelque peu distrait pendant le
rituel. Sa pensée vagabondait. Un mois
plus tard, la famille déménagea pour
s'installer sur Central Park Avenue, à
Lawndale. Le fils s'y sentait davantage à
son aise, mais en prenant chaque matin
le tramway pour rejoindre son magasin
au coin de Roosevelt Road et de
Jefferson Street, le père ne se sentait
plus animé du même entrain que
lorsqu'ils vivaient juste au-dessus.
Quelque chose avait aussi changé
à la synagogue. Il remarqua que ses
compatriotes le regardaient d'un drôle
d'air ; ils ne lui serraient plus la main
avec la même chaleur, ils ne se
montraient plus aussi familiers.

Deux ans plus tard, quand le fils
ouvrit un cabinet d'avocat, le père y
établit son quartier général et se lança
dans l'immobilier après avoir vendu
son magasin. Comme la synagogue du
proche West Side était trop loin, il en
fréquentait maintenant une autre sur
Douglas Boulevard, cinq kilomètres plus
à l'ouest. Par ailleurs, il avait quelque
peu rafraîchi sa barbe. Il jouait toujours
aux échecs avec son fils, mais au lieu
de commenter avec lui le Talmud,
ils devisaient ensemble sur la flambée
immobilière de Crawford Avenue.
De temps en temps, il se répétait à lui-
même : « Dire que je me croyais riche !
Ma foi, j'ai amassé plus d'argent en deux
ans que tout au long des vingt années
précédentes. Oui, je vivais dans le ghetto
et je ne le savais pas. »

Louis Wirth, *op. cit.*

Théories xénophobes

Les restrictionnistes fondent leur argumentation non sur la critique des ghettos d'immigrants, mais sur une interprétation très particulière de l'histoire de l'immigration américaine. Les théoriciens de l'exclusion exaltent l'idée d'une civilisation supérieure et celle de la préservation de l'identité américaine.

Caricature : Oncle Sam et les immigrants.

Colons contre immigrants

A présent, quelles sont les caractéristiques de la société et de l'Etat américains que nous désirons voir préservées ? Citons les suivantes, qui comptent parmi les plus évidentes :

1. La libre constitution politique et la capacité de nous gouverner nous-mêmes dans les affaires ordinaires de la vie, héritages de l'Angleterre que nous avons fait fructifier de si surprenante façon au cours de notre histoire ;

2. La moralité des colons puritains de la Nouvelle-Angleterre, que l'esprit d'équité et l'absence de classes privilégiées nous ont permis de préserver ;

3. Le bien-être économique de la masse, qui offre à nos classes laborieuses un degré de confort bien supérieur à celui dont jouissent les artisans et paysans d'Europe ;

4. Certains comportements sociaux spécifiquement américains, ou du moins présents à un degré plus élevé au sein de notre peuple que partout ailleurs, tels que l'amour de la loi et de l'ordre, une réelle adhésion à la volonté de la majorité, un esprit généralement charitable traduit par le respect envers les femmes et l'assistance aux enfants et aux personnes sans défense, le sens de l'humour, un bon caractère et des manières aimables, le patriotisme national et la confiance dans l'avenir du pays. […]

Histoire de l'immigration aux Etats-Unis résumée et interprétée par R. Mayo-Smith, militant restrictionniste.

En un sens, tous les habitants des Etats-Unis sont immigrants ou descendants d'immigrants. La seule exception concerne les quelques descendants des aborigènes, qui certes existent toujours, mais occupent un rang infime et une position de complète infériorité. Il y a cependant une immense différence entre ceux qui sont arrivés dans ce pays lorsqu'il n'était qu'une étendue sauvage et vierge, et qui par leur labeur et leurs sacrifices ont fondé une grande nation, et ceux qui se contentent de migrer vers un pays où l'Etat, les lois et les coutumes existent d'ores et déjà. Les premiers sont des colons; les seconds, de simples immigrants. C'est aux premiers que revient la gloire d'avoir créé l'Etat et donné au pays ses institutions, ses lois, ses traditions et sa langue. Etant en un sens les fondateurs et les propriétaires de la nouvelle nation, ils ont le droit de protéger ses institutions contre les influences étrangères, si celles-ci devaient menacer leur intégrité. Les seconds, ces immigrants qui n'ont pas partagé les risques de la conquête, occupent une position subalterne. Ils ne sont pas ici au titre d'un quelconque mérite personnel, mais grâce au consentement et sur l'invitation des colons originels. Il est vrai qu'ils peuvent avoir rendu de très grands services en contribuant au développement matériel du pays, mais ils restent de simples immigrants; ils ne sont pas les fondateurs de la nation. [...]

Une nation, dit-on, dispose de son sol à la seule condition qu'elle en fasse le meilleur usage, et si l'étendue de ses terres dépasse ses besoins réels, il est de son devoir de les partager avec d'autres. C'est sur ce principe que la colonisation de l'Amérique par les pays européens se justifie théoriquement. En tant que premiers occupants du pays, les Indiens en étaient propriétaires. Mais le plus haut degré de civilisation des Blancs les habilitait à en faire un meilleur usage. Ce qui, autrefois, parvenait tout juste à préserver quelques milliers de sauvages de la famine, nourrit aujourd'hui des millions d'hommes en état de développement avancé. Les habitants actuels des Etats-Unis, entend-on dire, n'ont donc pas le droit de s'approprier un pays fait pour accueillir plusieurs fois leur nombre. C'est particulièrement vrai si l'on considère les millions d'Européens qui pourraient trouver ici un bien-être qu'ils ne peuvent espérer atteindre chez eux. Nous n'avons pas le droit d'écarter ces masses nécessiteuses de nos champs fertiles et de nos vastes prairies.

Si un tel principe me semble parfaitement sensé, il est difficile de l'invoquer pour justifier une entière liberté de migration. Une civilisation élevée a le droit de s'imposer à la place d'une civilisation inférieure. C'est au nom de ce droit que les nations européennes ont pris possession de ce jeune pays. C'est au nom de ce même droit que l'Allemagne, la Belgique et l'Italie sont autorisées à fonder des colonies en Afrique. La civilisation la plus avancée a le droit moral de triompher de celles qui le sont moins, car c'est ainsi que progresse le monde. Toute nation a pour devoir, au nom de l'humanité, de veiller à ce que ce qui est élevé supplante ce qui l'est moins. Or, la meilleure façon de s'acquitter de ce devoir consiste à préserver sa propre civilisation des forces destructrices de la barbarie. Et pour les hommes d'un niveau inférieur de culture qui demandent à entrer aux Etats-Unis, le droit d'admission ne doit pas être acquis. Ils risquent d'avilir la civilisation supérieure sans pour autant élever la leur. Une conquête menée par des barbares n'élève pas le degré moyen de civilisation du monde. Elle détruit sans remplacer. Et même si elle parvenait à élever légèrement la moyenne de la vie humaine, cela ne constituerait pas un progrès. Une seule nation hautement civilisée vaut mieux que la moitié du monde en état de semi-civilisation. Là se trouve le danger d'une immigration indiscriminée ; elle peut être composée d'éléments plus enclins à détruire qu'à construire. Admettre de tels éléments n'aide en rien l'humanité en général, et risque de ruiner le niveau culturel de la nation qui les accueille. [...]

Un pays neuf passe par des stades successifs lors desquels ses besoins et exigences varient profondément. Au début de la colonisation, le besoin premier est celui de la main-d'œuvre, et n'importe quelle main-d'œuvre fait l'affaire. Quand la nation accède au stade agricole, la main-d'œuvre continue d'être la priorité. Aussi longtemps qu'il reste des territoires vierges, aussi longtemps qu'il faut tracer des routes, percer des canaux et façonner le pays, la main-d'œuvre reste primordiale. A ce stade, la libre immigration profite à la fois au pays et à l'immigrant. Même si l'immigrant n'est pas d'un type élevé, la vie rude et fruste qui s'offre à lui exerce un effet purificateur, ou du moins permet de parer à la plupart des risques. Il se trouve confronté à un milieu aussi brutal que lui, et l'un neutralise l'autre. Mais au fur et à mesure qu'une nation s'élève, elle perd sa capacité d'absorber les éléments les plus vulgaires des autres civilisations. Elle n'a plus le pouvoir de purifier. Elle n'a déjà que trop à faire avec ses propres déshérités. La lutte pour la survie gagnant en âpreté, elle ne peut plus offrir à l'immigrant les avantages d'autrefois. Celui-ci trouve dans son pays d'accueil des conditions très semblables à celles de son pays d'origine, et rencontre par surcroît de nombreux handicaps, tels que l'ignorance de la langue, des coutumes et du mode de vie. Ce n'est pas rendre service à l'immigrant que de l'accueillir avec une fausse opinion des conditions d'existence de notre pays. Aucune science sociale n'enseigne qu'il faille laisser de grandes masses humaines livrées à leurs pulsions aveugles ou au seul hasard. Il est tout aussi injuste envers nos concitoyens d'accueillir un flot d'hommes qui risquent d'accentuer la concurrence sur le marché du travail et d'abaisser le niveau de vie, sans s'interroger sur les conséquences ultimes d'une politique dont le principe a pu être autrefois légitime, mais doit maintenant être reconsidéré. Aucun des grands principes hérités des «pères» de la nation ne permet plus de nous guider dans le traitement d'un problème tel que celui de l'immigration indiscriminée, avec toutes les conséquences que ce phénomène implique.

Richard Mayo-Smith,
Emigration and Immigration,
Charles Scribner's Sons, New York, 1898

La menace de fusion

Voici les faits qui conférèrent à *The Melting-Pot* (littéralement : le creuset, N.d.T.), petit drame d'Israel Zangwill, une signification démesurée par rapport à son importance littéraire lors de sa sortie en 1909. Depuis plus d'un siècle, un flot d'immigration sans cesse croissant se déversait sur les Etats-Unis. A l'origine, ce mouvement passa relativement inaperçu, puis suscita essentiellement un sentiment de contentement et de satisfaction. Au fil des décennies, néanmoins, certaines de ses caractéristiques créèrent une consternation considérable, et la demande d'une intervention gouvernementale apparut. Cette intervention s'étant produite à temps, l'inquiétude populaire s'apaisa. Dans l'ensemble, pendant pratiquement toute la durée du dix-neuvième siècle, le peuple américain maintint envers les immigrants une attitude d'indifférence indulgente et tolérante, quand il ne les accueillait pas à bras ouverts. Mais comme le siècle touchait à sa fin, les premiers signes de malaise et d'inquiétude populaire commencèrent à surgir. Ils étaient dus à la fois à la modification de la situation sociale et économique aux Etats-Unis, à l'évolution des caractéristiques personnelles et sociales des immigrants, et aux avertissements répétés de ceux à qui leurs activités professionnelles permettaient d'accéder plus aisément aux données de l'immigration que le citoyen moyen. Le peuple américain commença en particulier à s'interroger sur les effets ultimes de cette formidable injection d'éléments étrangers sur sa vitalité et sa solidarité propres. Pouvons-nous le supporter, et si oui, pendant combien de temps? Les fondations de nos chères institutions n'étaient-elles pas déjà partiellement sapées par toutes ces idées, habitudes et coutumes étrangères? Quel genre de peuple étions-nous physiquement appelés à devenir? La nation américaine elle-même n'était-elle pas en péril? L'immigration émergea comme un vaste problème public, qui réclamait une solution.

Ce fut alors qu'apparut le symbole, tel un miracle tombé du ciel:

l'Amérique est un «melting-pot», un creuset capable d'accueillir les représentants de tous les peuples du monde. Dans ses entrailles magiques naît quelque chose qui est non seulement uniforme et homogène, mais aussi meilleur que n'importe lequel de ses ingrédients. Les nations du monde fusionnent en une nation neuve et supérieure, les Etats-Unis.

La métaphore était habile – à la fois pittoresque, parlante, familière, idéale pour frapper l'imagination populaire et se plier à mille usages. Elle se propagea dans ce pays et dans d'autres, tel une traînée de poudre. Comme toujours employée pour se substituer à l'analyse et à la réflexion, elle apaisa la vague d'inquiétude croissante. Rares furent ceux qui prirent le temps de s'interroger sur son aptitude à rendre compte des phénomènes d'assimilation. Rares furent ceux qui se demandèrent si M. Zangwill possédait une connaissance suffisante des complexes réalités de l'immigration pour assumer comme il le faisait la lourde responsabilité d'exégète. L'Amérique était un «melting-pot», les signes apparents de désintégration nationale n'étaient qu'illusion, et le problème était réglé.

Henry Pratt Fairchild, *The Melting-Pot Mistake,* Little, Brown & Co, Boston, 1926

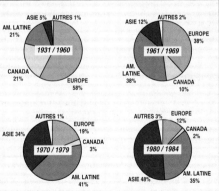

Immigration légale aux Etats-Unis, par pays d'origine de 1931 à 1984.
Source : *Population Bulletin*, Vol. 40, n° 4 (Washington D.C. : Population Reference Bureau, Inc., 1985).

Le melting-pot à l'œuvre

Pour la plupart des immigrants de la première génération, l'adaptation et l'éventuelle assimilation se situent quelque part entre l'identification à George Washington et la perte d'identité. Changer son nom est un acte parfois nécessaire, souvent douloureux, toujours symbolique.

Certificat de citoyenneté, 1886.

« Mon pays »

Combien de temps dirais-tu qu'il faille, sagace lecteur, pour faire un Américain ? Vers le milieu de ma deuxième année d'école, j'entrai en sixième. Quand, après les vacances de Noël, nous commençâmes l'étude de la vie de George Washington par un résumé de la révolution et des débuts de la république, j'eus l'impression que toutes mes lectures et leçons antérieures avaient été futiles. [...] Pendant la lecture des élèves, lorsque venait mon tour, ma voix vacillait et le livre tremblait dans mes mains. Je ne parvenais pas à prononcer le nom de George Washington sans marquer une pause. Jamais je n'avais prié, jamais je n'avais chanté les psaumes de David, jamais je n'avais imploré l'Eternel avec une révérence et une vénération aussi profonde que lorsque je répétais les phrases toutes simples de mon histoire pour enfants du grand patriote. Je contemplais avec une telle adoration les portraits de George et de Martha Washington que je finissais par les voir les yeux fermés. [...]

Si je pris conscience de mon peu d'importance, je me découvris en même temps des liens de parenté plus nobles que tout ce que j'avais pu imaginer. Car si mes parents et amis étaient des gens remarquables selon les critères classiques – jamais je n'avais rougi de ma famille – ce George Washington, mort bien avant ma naissance, était l'égal d'un roi par sa grandeur, et lui et moi étions «concitoyens». On parlait beaucoup des citoyens dans les livres patriotiques que nous lisions à l'époque ; mon père m'avait expliqué comment il était devenu citoyen grâce au processus de naturalisation, et comment j'étais moi aussi citoyenne en vertu des liens qui m'unissaient à lui. Sans l'ombre d'un doute, donc, j'étais une citoyenne, et George Washington en était un autre. La soudaine dignité qui s'était abattue sur moi faisait vibrer mon cœur ; et en même temps, elle m'incitait à la pondération, comme si j'avais saisi le sens de mes responsabilités. Je m'efforçais de me conduire comme il sied à un concitoyen. [...]

Qu'est-ce que l'Amérique pouvait donner de plus à un enfant ? Ah ! Bien des choses ! Plus je relisais les récits de la façon dont les patriotes avaient organisé la révolution, dont les femmes avaient donné le sang de leurs fils pour la patrie, dont le peuple en liesse avait fondé la république, mieux je saisissais le sens des mots « mon pays ». Des gens tous imprégnés de nobles idéaux, luttant ensemble pour les réaliser, défiant leurs oppresseurs, sacrifiant leur vie les uns pour les autres – voilà de quoi était constitué « mon pays ». Ce n'était pas quelque chose que je *comprenais* : de retour chez moi, je ne pouvais l'expliquer à Frieda comme je lui expliquais les autres choses que j'apprenais à l'école. Mais je savais désormais qu'en disant « mon pays », on pouvait le *ressentir* comme on ressentait le mot « Dieu » ou le mot « moi ». Après une telle expérience, je compris que mon maître, mes camarades de classe, Miss Dillingham, et George Washington lui-même ne pouvaient exprimer rien de plus que moi lorsqu'ils disaient « mon pays ». Car le pays appartenait à tous les citoyens, et j'étais une citoyenne.

Mary Antin, *The Promised Land*, Houghton Mifflin, Boston, 1912

« L'américanisation de "Adamič" »

A l'origine, dans ma Carniole (ou Slovénie) natale, mon patronyme arborait un accent en forme de petit « v » sur le « c » et s'écrivait donc : Adamič.

Il se prononçait À-dÀ-mitch, avec deux « a » longs, un accent tonique sur la syllabe centrale et un « tch » pour finir. Signifiant littéralement « Petit Adam » ou « fils d'Adam », c'était l'équivalent slovène d'Adamson ou d'Adams.

Pendant mes premières années aux Etats-Unis (1913-1915), sorte de blanc-bec avide d'être « américanisé », j'orthographiais quelquefois mon nom Adamich ou Adamitch. Vers seize ans, tandis que je m'initiais à la langue anglaise grâce aux manchettes des journaux et aux enseignes des rues de New York, j'envisageai un temps de le transformer en « Adamage », ce qui correspondait à la prononciation de la plupart des Américains quand ils voyaient mon nom écrit avec « ch » ou « tch ». L'idée m'était venue en entendant parler d'un immigrant nommé Savič qui s'était « américanisé » en Savage. Mais j'y renonçai en apprenant qu'un autre immigrant appelé Garbič était devenu Garbage (« déchets » en anglais, N.d.T.) ; je m'aperçus alors que « damage » (« dégâts » ou « dommages », N.d.T.) n'était guère plus attrayant que « garbage ». Sans doute n'étais-je pas tant attaché à l'orthographe originelle de mon nom qu'à sa sonorité, qui m'était familière depuis l'enfance. Mais ce serait réduire le problème d'une façon un peu sommaire que de s'arrêter là.

J'aspirais à devenir américain. D'un autre côté, j'étais instinctivement fier – de façon vague et changeante – d'être un Adamič. En Carniole, nous formions un clan nombreux, fort comme tous les autres de son lot de crapules et de vauriens, mais aussi de quelques individualités qui s'étaient plus ou moins distinguées au cours de l'histoire de la Slovénie. Emil Adamič, par exemple, était l'un des principaux compositeurs contemporains slovènes. Et peu de temps avant mon départ pour les Etats-

Unis, un jeune homme nommé Ivan Adamič, membre de ma famille, avait été tué par des militaires autrichiens lors d'une manifestation d'étudiants yougoslaves nationalistes dans une rue de Ljubljana, la capitale de la province. Il était alors devenu un héros-martyr pour une bonne part de la nation slovène, et son portrait barré de crêpe noir était accroché dans de nombreux foyers d'un bout à l'autre du pays. […]

Il contribua subtilement à éveiller mon enthousiasme pour l'idéal de défense de la démocratie dans le monde du président Wilson, et je le soupçonne d'avoir pesé d'un bon poids dans ma décision de rallier l'armée américaine. Il se peut d'ailleurs fort bien que ce soit son souvenir qui m'ait poussé à signer ma demande d'engagement en ornant mon patronyme d'un accent démesuré sur le «c».

Mais la carrière militaire de mon «č» ne devait pas aller plus loin. La machine à écrire sur laquelle fut enregistré mon engagement ne disposait pas de cet accent; soit le préposé l'ignora purement et simplement, soit il s'imagina qu'il s'agissait d'une bavure de ma part; en tout cas, l'orthographe de mon nom américain fut déterminée à cet instant précis. Je devins Adamic, je fus naturalisé sous ce nom dans l'armée, et je n'en ai plus changé depuis.

Louis Adamic, *What's Your Name?*
Harper & Brothers, New York, 1942

Changer ou ne pas changer ?

Est-il plus noble de s'accrocher, contre vents et marées, aux noms à quatre ou cinq syllabes de nos ancêtres, ou de faire acte de rébellion pour en finir avec eux ?

L'immigrant arménien moyen est déchiré entre la fidélité à ses aïeux et la nécessité de disposer d'un nom à peu près prononçable. Dans l'opinion de ses compatriotes, en changer reste aujourd'hui encore l'équivalent d'une trahison. D'un autre côté, la vie tend à devenir exaspérante pour celui qui doit s'efforcer de faire comprendre à tous les Américains issus d'autres origines qu'il s'appelle, par exemple, Jebidelikian. […]

Il existe trois catégories de noms arméniens : 1. les noms arméniens purs, et acceptables à l'oreille ; 2. les noms arméniens purs, mais longs et inadaptés à la prononciation anglo-saxonne ; 3. les noms turcs. Toute tentative de changer un nom entrant dans la première catégorie relève de l'instabilité mentale ou d'une autre aberration psychologique. Ceux de la seconde catégorie peuvent le plus souvent être raccourcis avec des résultats satisfaisants. Les seuls noms qui justifient une intervention lourde sont ceux de la dernière catégorie. Car les «patriotes» eux-mêmes ne parviendront pas à nous convaincre qu'il soit légitime de rester attaché à un nom représentant la négation de leur propre identité ancestrale. Seul l'ajout d'un «ian» est susceptible de racheter ces noms-là.

Quant à l'habitude croissante de prendre un nom anglo-saxon pompeux, nous nous contenterons de dire que c'est le moyen le plus bas, quoique le plus simple, de se tirer d'affaire. Le nom sert à identifier une personne et ses origines ; par conséquent, à moins d'avoir de bonnes raisons de dissimuler ses origines, un individu n'est guère excusable s'il s'attife de plumes appartenant à d'autres espèces d'oiseaux.

The Armenian Mirror-Spectator,
9 octobre 1940, New York,
cité par Adamic

« Une source de souffrances »

Ma première réaction fut un sentiment de consternation lorsque je m'entendis dire pour la première fois qu'il n'était pas exclu que mon nom étranger puisse représenter un sérieux handicap pour mon avenir d'Américain. Celui qui me l'expliqua était un honnête homme, un homme d'envergure, le rédacteur en chef d'un des plus célèbres magazines du pays. [...] Parmi la demi-douzaine de journalistes pressentis pour cette mission [une série de six articles], me déclara-t-il avec une évidente satisfaction, j'avais finalement été désigné à l'unanimité comme le plus compétent. Une vive joie m'envahit, suivie de peu par une amère déception.

Consentirais-je à signer mes articles d'un nom américain ? me demanda le rédacteur en chef. La direction du magazine estimait, m'expliqua-t-il, que leur impact risquait d'être considérablement amoindri s'ils paraissaient sous un nom étranger.

Fort de sept ans d'expérience de la presse, je savais ce qu'était un article anonyme. Mes travaux n'avaient pas toujours été signés, et en tant que journaliste (au *Chicago Tribune*), je devais naturellement m'effacer derrière la ligne éditoriale du journal. Mais consacrer une année entière à l'étude d'un sujet, me forger une réputation nationale, et devoir abandonner cette réputation à un nom fictif – j'étais incapable d'un tel sacrifice. Lorsque je retrouvai l'usage de la parole après être resté un moment sans voix, je l'expliquai au rédacteur en chef. [...]

Mon nom, qui depuis vingt-cinq ans et plus ne faisait qu'un avec mon être physique et mental, était soudain devenu un objet détachable. Comme un chapeau ou des boutons de manchette, il pouvait être ôté, changé, jeté. [...]

Personnellement, il m'est impossible d'affirmer que je n'ai jamais regretté de n'avoir pas troqué mon nom contre un autre, qui m'aurait permis de me fondre facilement dans la communauté au sein de laquelle je vivais. [...]

Ce n'est pas pour moi, cependant, que je regrette le plus de n'avoir pas changé de nom, mais pour mon fils. Je me souviens encore de ces après-midi où il rentrait de l'école ou du terrain de jeux, sourcils froncés. Après plusieurs tentatives infructueuses, je parvins enfin à vaincre sa réticence et lui demandai ce qui le tracassait.

« Oh, me répondit-il, j'aimerais tellement que nous ayons un nom américain comme les autres !

Et d'ajouter :

– Le maître nous parle souvent d'un Russe qui s'appelle Léninetrotski, une espèce d'agitateur et de bon à rien. Chaque fois qu'il cite son nom, tout le monde me regarde comme si j'étais de sa famille, ou quelque chose dans ce genre. Il y en a même qui se moquent de moi. »

[...] Le plus simplement possible, je lui expliquai que changer de nom par simple commodité, pour échapper à des tracasseries ou à des torts occasionnels, eût été faire insulte au pays qui m'avait donné le jour, à mes ancêtres vivants et morts, à l'héritage et aux réalisations de leur passé.

Et par-dessus tout, c'eût été faire insulte au pays qui m'avait adopté et me traitait maintenant comme un fils. L'Amérique perdrait sa magie, elle redeviendrait un pays comme les autres si l'on devait en dire qu'elle n'est plus la patrie de la justice et de l'égalité pour tous, et qu'elle exige en guise de ticket d'entrée qu'on change son nom et qu'on oblitère son passé pour pouvoir jouir librement sous ses cieux des bienfaits de la citoyenneté.

Elias Tobenkin
«Why I Would Not Change my Name»,
American Legion Monthly, 1930,
cité par Adamic

Immigrants au cinéma

Epopées de la traversée, convois vers l'Ouest et premiers chemins de fer, récits de la vie sur la Frontière, histoires des différentes communautés… le grand écran a célébré le rêve américain des immigrants et sa réalité parfois cruelle.

Les Pèlerins du *Mayflower*, dans *Capitaine sans loi* (ci-dessous). L'arrivée d'immigrants grecs dans *America, America!* (ci-dessus).

Page de droite : la traversée en paquebot dans *Good Morning Babylonia* (à gauche) et *L'Emigrant* (à droite). La deuxième traversée, de l'Est à l'Ouest, dans *Le Convoi des braves* (au centre) et dans *Le Cheval de fer* (en bas).

Les Suédois dans *Les Emigrants* (à gauche). Les héritiers des Britanniques dans *Les Bostoniens* (ci-dessus). Les Grecs dans *Eleni* (au centre). Les Irlandais dans *L'Homme tranquille* (ci-dessous).

Un Russe aux Etats-Unis dans *Crépuscule de la gloire* (ci-dessus). Un certain regard sur la communauté sicilienne dans *Le Parrain 2* (ci-contre). Les travailleurs immigrés mexicains dans *Alambrista* (ci-dessous).

Les Juifs dans *Il était une fois en Amérique* (ci-dessus). Les Japonais dans *Bienvenue au Paradis* (à droite). Les Guatémaltèques dans *El Norte* (au centre). Les Chinois dans *China Girl* (ci-dessous).

FILMOGRAPHIE

Premiers navires
- *Christophe Colomb/Christopher Colombus*, 1949, de David MacDonald (G-B).
- *1492, Christophe Colomb/Colombus*, 1992, de Ridley Scott (E-U).
- *Capitaine sans loi/Plymouth Adventure*, 1952, de Clarence Brown (E-U).

Premières colonies
- *Ames à la mer/Souls at Sea*, 1937, de Henry Hathaway (E-U).
- *Le Dernier Négrier/The Slave Ship*, 1937, de Tay Garnett (E-U).
- *Le Monde en marche/The World Moves On*, 1934, de John Ford (E-U).
- *Sangaree*, 1953, de Edward Ludwig (E-U).
- *Le Grand Passage/Northwest Passage*, 1940, de King Vidor (E-U).
- *Révolution*, 1985, de Hugh Hudson (E-U/G-B).
- *Sur la piste des Mohawks/Drums Along the Mohawks*, 1939, de John Ford (E-U).
- *L'Ange et le Mauvais Garçon/Angel and the Bad Man*, 1947, de James Edward Grant (E-U).
- *La Loi du Seigneur/Friendly Persuasion*, 1956, de William Wyler (E-U).

Premiers convois, construction des chemins de fer, partage des terres
- *La Caravane vers l'Ouest/The Covered Wagon*, 1923, de James Cruze (E-U).
- *Cimarron*, 1931, de Wesley Ruggles (E-U).
- *La Chevauchée fantastique/Stagecoach*, 1939, de John Ford (E-U).
- *Le Convoi des braves/Wagon Master*, 1950, de John Ford (E-U).
- *La Piste des géants/The Big Trail*, 1930, de Raoul Walsh (E-U).
- *Tumbleweeds*, 1925, de King Bagott (E-U).
- *Le Cheval de fer/The Iron Horse*, 1924, de John Ford (E-U).
- *La Conquête de l'Ouest/How the West Was Won*, 1962, de Henry Hathaway (E-U).
- *Pacific Express/Union Pacific*, 1939, de Cecil B. De Mille (E-U).
- *Fievel au Far-West*, de Phill Nibbelink & Simon Wells (E-U).
- *La Porte du paradis/Heaven's Gate*, 1980, de Michael Cimino (E-U).
- *Cette terre qui est mienne/This Earth is Mine*, 1959, de Henry King (E-U).

Vieilles familles américaines et cousins anglais
- *Les Bostoniennes/The Bostonians*, 1984, de James Ivory (G-B).
- *Les Européens/The Europeans*, 1979, de James Ivory (G-B).
- *Le Temps de l'innocence/The Age of Innocence*, 1993, de Martin Scorsese (E-U).

Immigrants irlandais
- *Abie's Irish Rose*, 1928, de Victor Fleming (E-U).
- *Ce n'est qu'un au revoir/The Long Gray Line*, 1955, de John Ford (E-U).
- *La Dernière Fanfare/The Last Hurrah*, 1958, de John Ford (E-U).
- *The Finish of Michael Casey*, 1901, produit par la firme Edison (E-U).
- *L'Homme tranquille/The Quiet Man*, 1952, de John Ford (E-U).
- *Irish Ways of Discussing Politics*, 1896, produit par la firme Edison (E-U).

Immigrants allemands
- *Quatre Fils/Four Sons*, 1928, de J. Ford (E-U).
- *Rosalie fait ses courses/Rosalie Goes Shopping*, 1988, de Percy Adlon (Allemagne).

Immigrants scandinaves
- *Les Emigrants/Utvandrarna*, 1973, de Jan Troell (Suède).
- *Joe Hill*, 1971, de Bo Widerberg (Suède).
- *Le Nouveau Monde/Nybyggarna*, 1973, de Jan Troell (Suède).
- *I Remember Mama*, 1948 (E-U).

Immigrants d'Europe centrale et orientale
- *A Lady Without Passport*, 1950, de Joseph H. Lewis (E-U).
- *F.I.S.T.*, 1978, de Norman Jewison (E-U).
- *Stranger than Paradise*, 1984, de Jim Jarmush (E-U).
- *Une romance américaine/An American Romance*, 1944, de King Vidor (E-U).
- *Fievel et le Nouveau Monde*, de Don Bluth (E-U).
- *Crépuscule de gloire/The Last Command*, 1927, de Josef von Sternberg (E-U).
- *Moscow on Hudson*, 1984, de P. Mazursky (E-U).

Immigrants juifs
- *Le Chanteur de jazz/The Jazz Singer*, 1927, de Alan Crosland (E-U).

– *Cohen's Advertising Scheme*, 1904, produit par la firme Edison (E-U).
– *Hester Street*, 1973, de Joan M. Silver (E-U).
– *Histoires d'Amérique*, 1988, de Chantal Ackerman (Belgique).
– *How They do Things on the Bowery*, 1902, produit par la firme Edison (E-U).
– *Humoresque*, 1920, de Frank Borzage (E-U).
– *Il était une fois en Amérique/Once Upon a Time in America*, 1984, de Sergio Leone (E-U).
– *Levi and Cohen, Irish Comedians,* 1903, produit par la firme Biograph (E-U).
– *Loin du ghetto/Younger Generation,* 1929, de Frank Capra (E-U).
– *Whoopee*, 1930, de Eddie Cantor (E-U).
– *Young Romance*, 1915, de George Melford (E-U).
– *Zelig*, 1983, de Woody Allen (E-U).

Immigrants grecs
– *America, America!*, 1963, de Elia Kazan (E-U).
– *L'Arrangement/The Arrangement*, 1968, de Elia Kazan (E-U).
– *Eleni*, 1985, de Peter Yates (G-B).

Little Italy et immigrants italiens
– *Donnez-nous aujourd'hui/Give us This Day*, 1949, de Edward Dmytryk (E-U).
– *Les Frères siciliens/The Brotherhood*, 1968, de Martin Ritt (E-U).
– *Good Morning Babylonia*, 1987, de Paolo et Vittorio Taviani (E-U/Italie).
– *L'Honneur des Prizzi/Prizzi's Honnor*, 1985, de John Huston (E-U).
– *La Maffia/Pay or Die*, 1960, de Richard Wilson (E-U).
– *La Main noire/The Black Hand*, 1950, de Richard Thorpe (E-U).
– *Mean Streets,* 1973, de Martin Scorsese (E-U).
– *Le Parrain II/The Godfather Part II,* 1975, de Francis Ford Coppola (E-U).
– *Sacco et Vanzetti/Sacco e Vanzetti*, 1971, de Giuliano Montaldo (Italie).
– *La Taverne de l'enfer/Paradise Alley*, 1978, de Sylvester Stallone (E-U).

Chinatown et immigrants chinois
– *L'Année du dragon/Year of the Dragon*, 1985, de Michael Cimino (E-U).
– *China Girl,* 1987, de Abel Ferrara (E-U).
– *Chinatown*, 1974, de Roman Polanski (E-U).
– *Chinatown Nights*, 1929, de William Wellman (E-U).
– *Chinese Laundry Scene*, 1895 (E-U).
– *Hammett*, 1982, de Wim Wenders (E-U).

– *The Joy Luck Club*, 1994, R. Wayne Wang (E-U).
– *Mississippi Triangle*, 1989, documentaire de Christine Choy, W. Long et A. Siegel (E-U).

Little Tokyo et immigrants japonais
– *The Crimson Kimono*, 1959, de Samuel Fuller (E-U).
– *Forfaiture/The Cheat*, 1915, de Cecil B. De Mille (E-U).
– *Japanese War Bride*, 1952, de King Vidor (E-U).
– *Yakusa*, 1974, de Sydney Pollack (E-U).

Immigrants philippins
– *Bona*, 1981, de Lino Brocka (Philippines).

Communauté vietnamienne récente
– *Alamo Bay,* 1985, de Louis Malle (E-U).

Immigrants hispaniques
– *Alambrista!* 1978, de Robert M. Young (E-U).
– *L'Aventurier du Rio Grande/The Wonderful Country*, 1959, de Robert Parrish (E-U).
– *El Norte*, 1983, de Gregory Nava (E-U).
– *El Perdido/The Last Sunset*, 1961, de Robert Aldrich (E-U).
– *Haines/The Lawless*, 1949, de Joseph Losey (E-U).
– *Incident de frontière/Border Incident*, 1949, de Anthony Mann (E-U).
– *Police frontière/The Border*, 1982, de Tony Richardson (E-U).
– *Le Policeman/Fort Apache - The Bronx*, 1980, de Daniel Petrie (E-U).
– *Le Sel de la terre/Salt of the Earth*, 1953, de Herbert Biberman (E-U).
– *Ville frontière/Bordertown*, 1935, de Archie Mayo (E-U).
– *West Side Story*, 1961, de Robert Wise (E-U).

Et aussi…
– *Ce n'est qu'un au revoir/The Long Gray Line*, 1954, de John Ford (E-U).
– *L'Emigrant/The Immigrant,* 1917, de Charlie Chaplin (E-U).
– *Le Mur invisible/Gentleman's Agreement*, 1947, de Elia Kazan (E-U).
– *Pourquoi l'Amérique?*, 1970, de Frédéric Rossif (France).
– *Récits d'Ellis Island, histoires d'errance et d'espoir*, 1980, de Robert Bober et Georges Perec (France).
– *The Idle Class*, 1921, de Charlie Chaplin (E-U).

Filmographie établie par Philippe Nédellec.

BIBLIOGRAPHIE

Ouvrages en français
– Laura Arnaud, D. Martin, M. et M.-F. Toinet, *Les Etats-Unis et leurs populations*, Bruxelles, Editions Complexe, 1980.
– Sophie Body-Gendrot, *Les Etats-Unis et leurs immigrants*, Paris, La Documentation française, 1991.
– Jeanine Brun (dir.), *America! America!*, Paris, Gallimard/Julliard, Coll. «Archives», 1980.
– Jean Cazemajou (dir.), *L'Immigration européenne aux Etats-Unis : 1880-1910*, Talence, Presses universitaires de Bordeaux, 1986.
– Catherine Collomp, «Syndicats ouvriers et immigration aux Etats-Unis, 1880-1900», doctorat d'Etat, Université Paris-VIII, 1985.
– Philippe Dasnoy, *Vingt Millions d'immigrants*, Bruxelles, Elsevier Sequoia, 1977.
– Marianne Debouzy (dir.), *A l'ombre de la Statue de la Liberté*, Saint-Denis, Presses universitaires de Vincennes, 1988.
– Rachel Ertel, G. Fabre, E. Marienstras, *En marge. Les Minorités aux Etats-Unis*, Paris, Maspero, 1971.
– André Kaspi, C. J. Bertrand, J. Heffer, *La Civilisation américaine*, Paris, P.U.F., 1979.
– Georges Perec, R. Bober, *Récits d'Ellis Island, histoires d'errance et d'espoir*, Paris, Editions du Sorbier/INA, 1980.
– Robert Rougé (dir.), *Les Immigrations européennes aux Etats-Unis, 1880-1910*, Paris, Presses de l'Université de Paris-Sorbonne, 1987.
– François Weil, *Naissance de l'Amérique urbaine, 1820-1920*, Paris, Sedes, 1992.
– Olivier Zunz, *Naissance de l'Amérique industrielle, Detroit 1880-1920*, Paris, Aubier, 1983.

Ouvrages en anglais
– Thomas Archdeacon, *Becoming American*, New York, The Free Press, 1973.
– Bernard Bailyn, *The Peopling of British North America*, New York, Vintage, 1988.
– John Bodnar, *The Transplanted*, Bloomington, Indiana University Press, 1985.
– Roger Daniels, *Coming to America*, New York, Harper, 1990.
– Leonard Dinnerstein, R. L. Nichols, D. M. Reimers, *Natives and Strangers*, New York, Oxford University Press, 1979.

– Charlotte Erickson, *Invisible Immigrants*, Ithaca, Cornell University Press, 1990.
– Donna Gabaccia, *From the Other Side : Women, Gender and Immigrant. Life in the United States, 1820-1990*, Bloomington, Indiana University Press, 1994.
– Nathan Glazer, D. P. Moynihan, *Beyond the Melting-Pot*, Cambridge, Mass., MIT Press, 1963.
– Oscar Handlin, *The Uprooted*, Boston, Little, Brown and Co., 1951 (première édition); 1973 (deuxième édition).
– Marcus Lee Hansen, *The Immigrants in American History*, Cambridge, Mass., Harvard University Press, 1940 (première édition); New York, Harper and Row, 1964 (deuxième édition).
– John Higham, *Strangers in the Land*, New Brunswick, New Jersey, Rutgers University Press, 1955; New York, Atheneum, 1985.
– Dirk Hoerder (dir), *American Labor and Immigration History, 1877-1920 : Recent European Research*, Urbana, University of Illinois Press, 1983.
– Irving Howe, *World of our fathers*, New York, Simon and Schuster, 1976.
– Walter Kamphoefner, W. Helbich, U. Sommer, *News from the Land of Freedom*, Ithaca, Cornell University Press, 1990.
– Stanley Lieberson, *A Piece of the Pie : Blacks and White Immigrants Since 1880*, Berkeley, University of California Press, 1980.
– Joan Morrison, Ch. Fox Zabusky (dir.), *American Mosaic*, Pittsburgh, University of Pittsburgh Press, 1993.
– Walter Nugent, *Crossings : The Great Transatlantic Migrations, 1870-1914*, Bloomington, Indiana University Press, 1992.
– Ronald Takaki, *Strangers from a Different Shore*, New York, Penguin, 1989.
– Philip Taylor, *The Distant Magnet*, New York, Harper Torchbook, 1972.
– Stephen Thernstrom (dir.), *Harvard Encyclopedia of American Ethnic Groups*, Cambridge, Harvard University Press, 1980.
– Rudolph Vecoli, «Contadini in Chicago : A Critique of *The Uprooted*», *Journal of American History*, december 1964, pp. 404-417.
– David Ward, *Cities and Immigrants*, New York, Oxford University Press, 1971.

TABLE DES ILLUSTRATIONS

INDEX

CRÉDITS PHOTOGRAPHIQUES

A.P./Wide World Photos, New York 103, 109. Archiv fur Kunst (AKG), Berlin 25, 26-27, 58m. Archives C.G.M./French Line, Le Havre 11, 33h. Artephot/Oronoz, Paris 14, 61. Bettmann/U.P.I. 102. Bibliothèque nationale, Paris 17b. Bildarchiv Preussischer Kulturbesitz (BPK) Berlin 26, 27, 28, 29, 32, 33m, 38d, 74-75, 74. Bridgeman/Giraudon 112. Brown Brothers, Sterling, Etats-Unis 4-5, 81b, 85, 95h. J.-L. Charmet, Paris 12, 20b, 20h, 21, 24, 24-25, 39g, 53, 91. Ciné + 132hd, 132c. City College of San Francisco 111. Coll. part. 17h, 19h, 83m, 126. Coll. Professor Odd Lovoll, Minnesota 70, 76, 77b, 86(a), 86(e), 87(b). Coll. Seymour Durst Old & York Library 108g. Coll. Christophe L., Paris 104, 130h, 130b, 131hg, 131hd, 131c, 131b, 132hg, 132b, 133hg, 133hd, 133b, 134hg, 134hd, 134m, 134b. Corcoran Gallery of Art, Washington 43h. D. R. 36b, 36h, 37d, 37g, 48b, 51, 58h, 68b, 72h, 77h, 84-85, 92b, 113, 114, 118, 121, 125. Dagli-Orti, Paris 18, 100b. DITE/IPS, Paris 80, 98, 99, 129. Edimédia 13, 123. Edimédia/Snark International 52. Editions Gallimard 10. Ellis Island Museum, New York 1, 43b, 44-45, 54. Explorer 36m. Explorer/F.P.G. 66h. Explorer/G. Zawadski 110h. Explorer/Mary Evans 23. F.P.G./Explorer 48h. Gallimard Jeunesse 34. Gamma/Chartrand 104-105. Gamma/Kalzuny 105. Georges S. Hellman, New York 41g. Historical Society of Pennsylvania, Philadelphie. 16. Historical Society of Seatle 60b. Immigration Historical Research Center, University of Minnesota, Saint Paul 54-55, 64m, 87(a). Jewish Exponent/Balch Institute Philadelphia 87(c). Library of Congress, Washington 2, 3, 9, 15h, 30, 37b, 39d, 41d, 56-57h, 63b, 67h, 68-69, 72b, 73, 78, 78-79, 79, 86(d), 86-87(c), 88, 89, 90, 92h, 93, 94, 96d, 96g, 97, 100h, 101, 106. Magnum/E. Arnold, Paris 110b. Manchester City Art Galleries 38g. Minnesota Historical Society, Saint Paul 59, 60h, 66b, 83b, 84d, 84g. Museum of the City of New York 65, 69. National Galleries of Scotland, Edimbourg 22. New York Public Library 6, 7, 8, 46-47, 47, 49b, 49h, 62h, 71, 81, 82. Pennsylvania Museum of Fine Arts, Philadelphie 15b. Roger-Viollet, Paris 40, 45, 56m, 57, 108d. Seymour Durst Old York Library, New York 19b. Tapabor/Kharbine, Paris Dos de couv., 42, 50-51, 63h, 64b, 95b. Union Pacific Museum Collection 31. University of Minnesota, Saint Paul 86(b), 106-107. Watertown Wisconsin Historical Society 67b. Yivo Institute for Jewish Research, New York 62b.

REMERCIEMENTS

L'auteur tient à remercier Pierre Bouvier, Catherine Collomp, Marianne Debouzy, Michèle Decré, Donna Gabacia, Dirk Hoerder, Eric Vigne et François Weil.

Les Editions Gallimard remercient Jeffrey S. Dosik, Barry Moreno, Diana Pardue et Géraldine Santoro (Ellis Island Museum), les Editions Grasset, les Editions Harpers and Brothers (New York), les Editions Marcus Wiener (New York), Stephanie Galanson (City College, San Francisco), Mary Ison (Library of Congress), Judy Kuam (Watertown Historical Society), Marguerite Lavin et Tony Pisani (Museum of the City of New York), Ken Longe et Don Snoddy (Union Pacific Museum), Professor Odd Lovoll (Northfield, Minnesota), Pat Lusk (Balch Institute, Philadelphia), Shannon Morse (Corcoran Gallery of Art, Washington D.C.), Dominick Pilla (New York Public Library), Eve Sicular (Yivo Institute for Jewish Research, New York), Joël Wurl et Halyn Myroniuk (University of Minnesota Immigration History Research Center).

ÉDITION ET FABRICATION

DÉCOUVERTES GALLIMARD
DIRECTION : Pierre Marchand et Elisabeth de Farcy.
GRAPHISME : Alain Gouessant. FABRICATION : Violaine Grare. PROMOTION : Valérie Tolstoï.
ET ILS PEUPLÈRENT L'AMÉRIQUE
EDITION : Michèle Decré. TRADUCTION : Cécile Dutheil de la Rochère (Corpus), François Boisivon (poème d'Emma Lazarus), Hubert Tézenas (Témoignages et Documents). MAQUETTE : Dominique Guillaumin (Témoignages et Documents). ICONOGRAPHIE : Bénédicte Bouhours, Alexandra Rose, Catherine Rose, Philippe Nédellec (filmographie). LECTURE-CORRECTION : Catherine Lévine, Benoît Mangin. PHOTOGRAVURE : Azer. MONTAGE PAO : Paragramme (Corpus) et Dominique Guillaumin (Témoignages et Documents).

Table des matières